D0315988

PREMIÈRE
MOISSON®

pain

Photos : Tango
Styliste culinaire : Jacques Faucher
Styliste accessoiriste : Luce Meunier
Accessoires de cuisine : Arthur Quentin (Montréal)

Catalogage avant publication de Bibliothèque et Archives Canada

Fiset, Josée

Pain

(Tout un plat!)

1. Pain. 2. Cuisine (Pain). I. Blais, Éric. II. Titre. III. Collection.

TX769.F57 2006 641.8'15 C2006-940249-3

Pour en savoir davantage sur nos publications,
visitez notre site : **www.edhomme.com**
Autres sites à visiter : www.edjour.com
www.edtypo.com • www.edvlb.com
www.edhexagone.com • www.edutilis.com

DISTRIBUTEURS EXCLUSIFS :

• Pour le Canada et les États-Unis :
MESSAGERIES ADP*
955, rue Amherst
Montréal, Québec H2L 3K4
Tél. : (450) 640-1237
Télécopieur : (450) 674-6237
* division du Groupe Sogides inc.,
filiale du Groupe Livre Quebecor Média inc.

• Pour la France et les autres pays :
INTERFORUM
Immeuble Paryseine, 3, Allée de la Seine
94854 Ivry Cedex
Tél. : 01 49 59 11 89/91
Télécopieur : 01 49 59 11 33
Commandes : Tél. : 02 38 32 71 00
Télécopieur : 02 38 32 71 28

• Pour la Suisse :
INTERFORUM SUISSE
Case postale 69 - 1701 Fribourg - Suisse
Tél. : (41-26) 460-80-60
Télécopieur : (41-26) 460-80-68
Internet : www.havas.ch
Email : office@havas.ch
DISTRIBUTION : OLF SA
Z.I. 3, Corminbœuf
Case postale 1061
CH-1701 FRIBOURG
Commandes : Tél. : (41-26) 467-53-33
Télécopieur : (41-26) 467-54-66
Email : commande@ofl.ch

• Pour la Belgique et le Luxembourg :
INTERFORUM BENELUX
Boulevard de l'Europe 117
B-1301 Wavre
Tél. : (010) 42-03-20
Télécopieur : (010) 41-20-24
http ://www.vups.be
Email : info@vups.be

09-06

Dépôt légal : 2006
Bibliothèque et Archives nationales du Québec

ISBN 10 : 2-7619-2215-8
ISBN 13 : 978-2-7619-2215-9

Gouvernement du Québec – Programme de crédit d'impôt pour l'édition de livres – Gestion SODEC – www.sodec. gouv. qc. ca

L'Éditeur bénéficie du soutien de la Société de développement des entreprises culturelles du Québec pour son programme d'édition.

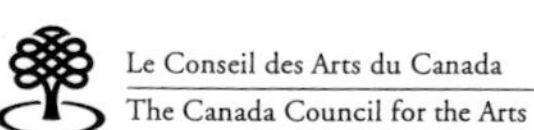

Nous remercions le Conseil des Arts du Canada de l'aide accordée à notre programme de publication.

Nous reconnaissons l'aide financière du gouvernement du Canada par l'entremise du Programme d'aide au développement de l'industrie de l'édition (PADIÉ) pour nos activités d'édition.

tout un plat !

pain

Josée Fiset et Éric Blais
de Première Moisson

Avant-propos

J'aime l'odeur du pain, ses formes multiples, ses couleurs. J'aime autant la croûte qui craque que la douceur de la mie. Enfin, j'aime la richesse de ses saveurs selon la farine utilisée et les ingrédients ajoutés à la pâte : blé entier, son, avoine, tournesol, noix, algues, fruits, chocolat... Il suffit que je passe devant une boulangerie et que je sente l'odeur du pain tout juste sorti du four pour qu'une foule de souvenirs me reviennent à la mémoire : scènes d'enfance, paysages d'ici et d'ailleurs... Le pain reste toujours indissociable de l'image du parfait Français : la baguette à la main ou sous le bras, qui mange le croûton à peine sorti de la boulangerie. Ce fameux croûton pour lequel les enfants, dont les miens, se disputent pour être le premier à mordre dedans.

Mais écrire un livre de recettes de pain? D'abord enthousiaste, car j'aime les défis, je n'ai pas tardé à me demander comment on peut faire du pain chez soi sans les compétences ni l'équipement du boulanger. Est-il possible de contrôler, dans sa cuisine, le processus de fermentation qui échappe parfois aux boulangers les plus expérimentés? Entre alors en scène Franck Debieu, un confrère boulanger à Sceaux, en France. Ce dernier me confirme qu'il est utopique de croire qu'on peut fabriquer chez soi le pain tel qu'on le trouve dans une boulangerie artisanale. Puis il me glisse en guise de conseil : «As-tu pensé à des recettes plus simples à réaliser, comme celle de la *focaccia*?» D'une simple phrase, Frank venait de me mettre sur la bonne piste!

Quels sont les pains que l'on peut apprivoiser à la maison? Des pains qui cuisent sans vapeur et sans levain. Des pains qui se laisseront dompter par des mains non exercées au pétrissage. Des croustilles, des craquelins, des pains d'ailleurs et des pains d'autrefois. Je voulais notamment retrouver la recette de la galette primitive, celle que cuisaient nos lointains ancêtres sur des pierres.

J'ai donc créé une équipe composée d'Éric Blais, cuisinier avec qui je travaille en symbiose depuis 10 ans, de Dominique Gauvrit, artisan boulanger exceptionnel avec qui j'ai une grande complicité, et de Pierre Ranjard, qui m'a assistée dans ce projet. Notre objectif était de réunir l'expérience du boulanger et celle du cuisinier afin de créer des recettes savoureuses. La façon traditionnelle de panifier dans un fournil a été mise de côté et nous avons adapté les procédés pour nos cuisines. Une fois cela fait, nous nous sommes amusés, Éric et moi, à choisir les produits d'accompagnement du pain : confitures, tartinades, pâtés et, surtout, nous avons cherché des manières de recycler le pain de la veille. Des recettes simples et originales à la fois, mais plus que tout des recettes que les apprentis boulangers qui sommeillent en chacun de vous auraient plaisir à réaliser : voilà ce que nous avons cherché.

Merci à tous nos collaborateurs et aux Éditions de l'Homme de nous avoir donné la possibilité de faire ce que nous croyions impossible : écrire ce livre.

JOSÉE FISET

Le pain et l'histoire

Les spécialistes s'accordent pour dire que le pain serait né environ 10 000 ans avant Jésus-Christ. Ces pains primitifs étaient préparés à base de grains grillés et d'eau. La pâte ainsi constituée était alors chauffée sur des pierres. Il en résultait une sorte de galette qui faisait sans nul doute la joie des premiers boulangers de la terre.

C'est vers 3000 av. J.-C. que les premiers vrais pains virent le jour. La légende veut (et j'aime à penser que c'est la vérité) qu'une servante oublia de faire cuire sa pâte et la trouva levée le lendemain matin. Elle avait fermenté pendant la nuit. Et voilà comment une écervelée découvrit le pain au levain! Un pain qui allait révolutionner les habitudes alimentaires, ainsi que l'histoire de bien des peuples et des religions.

Dans l'Égypte ancienne, le pain avait trois fonctions essentielles: une fonction commerciale, grâce au développement des techniques de panification; une fonction sociale, car il servait à payer les salaires; et une fonction spirituelle, car il servait d'offrande aux dieux. On déposait également du pain dans les tombes des défunts, afin que ces derniers puissent «se nourrir» pendant leur dernier voyage. De leur côté, les Hébreux, alors esclaves des Égyptiens, attribuaient au pain une grande valeur religieuse. Ils distinguaient le pain levé du pain non levé: le pain azyme. Le premier, considéré comme impur, devint le pain mangé quotidiennement et le second, pur, servait d'offrande à Dieu.

De la Grèce antique, on retiendra surtout le passage de la panification domestique à la panification collective avec la création des premières boulangeries. Les pains connurent un essor considérable et, deux siècles avant Jésus-Christ, on dénombrait pas moins de 72 pains différents à Athènes. Ce qui faisait dire à Homère que les Grecs étaient «des mangeurs de farine». Le pain avait une si grande importance que le culte de Déméter, déesse des grands pains et des moissons, devint la religion officielle d'Athènes.

Rome, un peu plus tard, au IIe siècle av. J.-C., donna le statut de fonctionnaires aux boulangers. Le raffinement des techniques de panification fut tellement spectaculaire que les Romains fabriquèrent des pains d'innombrables formes dont certaines à connotation érotique. Mais il fut aussi employé comme une redoutable arme politique. Pour contrer les émeutes soulevant contre eux la population tiraillée par la faim, les hommes au pouvoir offrirent à celle-ci de la farine en guise de nourriture et des combats dans les arènes en guise de divertissement. Le peuple était la victime d'une politique cynique célèbrement résumée par «offrons-leur du pain et des jeux».

Chez les chrétiens, le pain possède une forte valeur symbolique. Les références y sont très nombreuses dans la Bible: le miracle de la multiplication des pains, «Je suis le pain de la vie, celui qui vient vers moi n'aura pas faim», et, bien entendu, l'Eucharistie, avec la phrase «Prenez et mangez, ceci est mon corps» identifiant le Christ au pain. Le plus touchant, toutefois, c'est le nom de la ville natale de Jésus, Bethléem, qui signifie «la maison du pain» en araméen. Peut-on y lire une simple coïncidence ou un signe?

Avançons dans le temps et retrouvons-nous en Europe, plus particulièrement en France, entre le Ve siècle et le début du XVe siècle, époque noire pour le pain. À défaut de nourrir la population, il servait surtout d'outil de pouvoir des nantis sur le peuple. Bien que les techniques se soient développées de façon considérable, le pain ne fut pas partagé comme il aurait pu ou dû l'être parmi la population. En effet, les seigneurs, alors propriétaires des moulins et des fours, imposèrent aux paysans de payer le droit de les utiliser. À cette époque, les pains étaient associés à la classe sociale à laquelle ils étaient destinés. Le pape avait son pain, le chevalier le sien. On fabriquait «du pain de valet», «du pain de cour» ou «d'écuyer».

Les famines qui dévastèrent l'Europe obligèrent les pauvres à consommer ce que l'on appelle les pains de famine : pains de farine mélangée avec de la paille, des écorces de bois, ou bien même des racines. Quant aux seigneurs, ils raffolaient du « tranchoir », pain en forme d'assiette sur lequel on déposait la viande et que l'on mangeait à la fin du repas lorsque celui-ci était bien imbibé du jus de la viande. La tradition, toutefois, voulait qu'on distribue ces tranchoirs aux chiens… ou aux pauvres.

Du XVIe au XVIIIe siècle, les famines s'abattent les unes après les autres sur le peuple, provoquant une hausse considérable du prix du pain. Ce sont toujours des années noires pour ce dernier. Un simple exemple vaut mille mots : un enfant surpris en train de voler du pain était condamné à ramer dans une galère… à vie. De famine en famine, le peuple en colère commence à manifester son mécontentement. Les années 1788 et 1789 marquent un tournant crucial dans l'histoire occidentale. Le prix du pain est tel que les premières émeutes débutent en province pour atteindre leur apogée le 14 juillet 1789 à Paris : le peuple, galvanisé par la faim et la colère, prend la Bastille. Non seulement celle-ci est le symbole du pouvoir, mais le peuple espère y trouver du blé. La Révolution française est en marche. Malgré l'abolition des privilèges féodaux, la crise économique ne cesse de croître. Le 5 octobre 1789, une armée de femmes et d'enfants se rend à Versailles pour s'emparer de la famille royale, le roi, la reine et le prince étant surnommés le boulanger, la boulangère et le petit mitron. On prête à Marie-Antoinette la célèbre formule : « S'ils n'ont plus de pain, qu'ils mangent de la brioche. » On ne saura jamais si c'était de la pure bêtise ou de l'humour noir pour le moins déplacé. En 1791, les pains ont un prix fixe et obligatoire, et seul le « pain d'égalité », composé de blé et de seigle mélangé avec du son, peut être préparé par les boulangers. C'est en 1796 que le pain blanc, alors considéré comme exclusivement réservé à l'aristocratie, devient officiellement celui de tous les Français.

Passons sur l'histoire du XIXe siècle, période de transition surtout marquée par les recherches et les découvertes techniques de panification, pour aborder

le choc des deux guerres mondiales, 1914-1918 et 1939-1945, avec leur lot d'atrocités. Le pain devient le «pain de guerre». Lorsque, en 1917, les États-Unis, alors seuls à alimenter l'Europe en blé, bloquent leurs exportations en Allemagne et en Autriche, ils signent la fin des hostilités, car la défaite devient inévitable. Forte des leçons qu'elle en a tirées, l'Allemagne d'Hitler, à son tour, se servira de cette arme pour affaiblir ses ennemis au cours de la Deuxième Guerre mondiale. La réquisition des stocks de blé des pays occupés, la France, les Pays-Bas, la Belgique et la Pologne, provoque le rationnement généralisé de toutes les nourritures dans les pays conquis. Le pain blanc ne peut plus être fabriqué; il est remplacé par des pains gris, composés de farine de maïs, de riz et d'autres produits de substitution. La population survit de peine et de misère en adoptant le système des tickets de rationnement, tandis que les plus nantis recourent au marché noir.

Après la guerre, les Européens et les Nord-Américains réclament du pain blanc, blanc, blanc et facile à trouver. La consommation de pains industriels, pains blancs subissant un pétrissage intensif, permet à la population d'oublier les pains de guerre. Mais ces nouveaux pains sont fades, sans odeur ni saveur. Les gens boudent alors le pain, jusqu'aux années 1970 et 1980 où réapparaît le pain de campagne.

Les gens redécouvrent alors la valeur du pain. Convaincus que celui-ci est source de bien-être et de santé, ils réclament de l'authenticité. Le pain n'est pas seulement un accompagnement, il est un tout, comme le vin. Il est source de convivialité, de variété et d'énergie dans les repas. Les artisans boulangers ne cessent aujourd'hui de confectionner des nouveaux pains, qu'ils soient biologiques ou issus de farines comme l'épeautre, le froment, le seigle… Les pains de blé entier et les pains riches en fibres comportent beaucoup plus de valeur nutritive que bien d'autres aliments. Le pain redevient nôtre: un compagnon de voyage quotidien à déguster seul ou entre amis. Il peut nous arriver d'être mécontent, un dimanche matin, parce qu'il faut se lever et aller le chercher, qu'il pleuve, qu'il fasse beau ou qu'il neige. Mais son odeur, sa saveur, son croquant et sa douceur nous poussent tout de même à sortir. Si parfois nous nous mettons en colère en goûtant un pain fade, fabriqué dans une logique de profit à tout prix, au mépris des règles de l'art, nous sommes bien contents de retrouver notre boulangerie du coin, la meilleure en ville.

LES PAINS DANS LE MONDE

Lors de mes voyages à l'étranger, je m'attache, pour des raisons professionnelles, mais surtout par plaisir, à goûter les pains qui me feront découvrir de nouvelles saveurs, des textures que je ne connaissais pas et des odeurs inoubliables. Ce qui reste pourtant ancré en moi, ce sont les rencontres que j'ai faites grâce au pain, en le partageant avec des gens extraordinaires. Ces échanges m'ont permis de découvrir que le pain est à l'image de qui nous sommes, de notre pays, de notre région, de notre culture ou de notre spiritualité.

Je vous propose donc un petit voyage informel dans mon monde du pain, comme je l'ai vécu et comme on me l'a raconté.

Je vais, bien évidemment, commencer par la France, pays de mon cœur après le Québec. J'y séjourne trois ou quatre fois par an et me régale toujours de la richesse des pains et de celle de ses habitants. Les pains des différentes régions reflètent le regard des gens, leur culture et leurs codes. À certains endroits, la population semble un peu résistante au premier abord, avant de dévoiler sa tendresse. On y trouve généralement des pains à croûte dure puis «à mie tendre». D'autres, au contraire, sont tout en douceur, volupté et allégresse.

Les pains d'Italie présentent un peu les mêmes caractéristiques. Exubérants, les habitants de ce pays merveilleux affirment qu'ils fabriquent plus de 1000 pains différents… Si, dans la réalité, ils exagèrent un peu, il n'en reste pas moins qu'on ne cessera d'être étonné par la variété des pains offerts. Naples, c'est le royaume de la pizza, avec toutes ses variétés et ses compositions. Et la pizza, c'est la famille, le pain de l'exagération, des cris de joie ou de colère. Les pains d'Italie se nomment *pagnotta, ciabatta, panini, pan cotto, focaccia* ou bien *michetta, rosetta, grissini.* Tous ces noms évoquent le soleil, les odeurs, la joie de vivre, le bruit, mais aussi le calme: calme des campagnes, comme en Toscane où l'on déguste, dans la torpeur estivale, la *bruschetta,* tartine grillée qu'on a enduite d'ail, d'huile d'olive ou de tomates et de basilic.

Quant aux Anglais, je ne peux m'empêcher de les associer à deux pains très différents. D'abord, ils ont un côté *cucumber sandwich* dans ce qu'il a de calme et de retenue. Le pain de mie est extrêmement blanc, onctueux, un peu froid, souligné par le concombre qui craque légèrement. Peu de saveur, mais beaucoup de délicatesse et de classe. Le second aspect des Anglais, leur côté *crumpet,* c'est la fantaisie, l'excentricité et l'humour distillé de façon décapante. L'Écosse, quant à elle, propose le *Lesekirk Bannock,* un pain aux fruits secs et confits originaire de Selkirk. L'Irlande n'est pas en reste. Là-bas, il est indispensable de goûter le fameux *soda bread,* pain complet malté qui fait les délices des habitants au petit-déjeuner. On pense aussi au fameux *cornish saffron cake,* originaire des Cornouailles, qui, avec ses fruits, ses noix, sa saveur de muscade, de safran et de cannelle, donne des envies de voyages.

Pourquoi ne pas aller en Inde et découvrir le *naan*? C'est un pain levé avec un arrière-goût de yogourt, dont la discrétion permet de savourer toute la richesse et la complexité des mets indiens.

En Europe de l'Est, les pains sont noirs, fabriqués en grande majorité avec de la farine de seigle, car cette céréale résiste au froid. Ces pains, dont la mie est compacte, accompagnent généreusement les repas quotidiens dans ces pays dont les conditions climatiques sont souvent dures. Certains voyageurs disent que leur consistance, leur goût et leur couleur reflètent l'esprit des peuples de l'Est et de la Russie: des peuples souvent opprimés qui dégagent un sentiment de tristesse et d'abandon, des habitants aux regards souvent durs et noirs. Mais les peuples d'Europe de l'Est savent aussi faire la fête. Fêtes accompagnées de pains nattés, de pains entrelacés et tressés. Ces pains, généreusement dorés, sont consommés le dimanche lors des cérémonies religieuses et les jours de fête, en particulier chez les juifs. Ces pains sont ceux du courage, de la volonté et de l'espoir. Une autre spécialité juive est le bagel.

Dans mes petits moments de tristesse, de mélancolie et d'envie d'ailleurs, je voudrais m'évader et découvrir le Proche et le Moyen-Orient pour revenir aux origines du pain. J'aimerais voir les fours dans lesquels les galettes cuisent sur des feux de brindilles et rencontrer les nomades qui les fabriquent à même le sol. Je pourrais aller préparer les pains avant d'aller les apporter chez le boulanger pour qu'il les cuise. Ma gourmandise me fait vagabonder vers les pains spéciaux, petits pains au sésame, pains longs ou aromatisés. Les pains du Moyen-Orient foisonnent, déconcertent, intriguent. Ils peuvent être durs comme une terre aride ou encore légers et moelleux comme la soie, car, au carrefour des civilisations, on trouve de tout.

J'ai beaucoup de tendresse pour les pains d'Amérique du Nord, pains de colonisation et d'immigration. Les premiers colons, par souci de sécurité, optèrent pour la culture du maïs, plus résistant que le blé. Aujourd'hui, les pains anciens, encore monnaie courante, coexistent avec les pains apportés par les immigrants venus du reste du monde. C'est l'Amérique, entre la tradition et le choc des cultures culinaires qui s'entrelacent, fusionnent, se déchirent ou festoient. J'aime l'Amérique pour tout ça, mais je rêve d'une chose : que le *bun,* pain pour hamburger, retrouve sa qualité de pain associé à des aliments sains et nutritifs.

LA BOULANGERIE AU QUÉBEC[1]

Le pain a revêtu une grande importance en Nouvelle-France, constituant la base de l'alimentation des familles. On raconte que les colons ont entrepris les premières cultures de blé vers 1644, dans de bonnes conditions étant donné que les plaines s'avéraient propices à la culture de céréales de bonne qualité.

Les familles conservaient la farine dans un grand baril en bois muni d'un tamis pouvant contenir 200 livres de farine. Comme le seigle poussait très bien au Canada, les habitants mélangeaient souvent de la farine de seigle à la farine de blé. Le pain levait avec un levain maison fait de houblon et de pommes de terre. La pâte était pétrie dans un meuble conçu spécialement pour cette tâche, une espèce de gros coffre en bois, appelé pétrin, où on laissait toujours de la farine. D'où l'expression « être dans le pétrin », rappelant les difficultés liées au pétrissage.

La huche à pain est un autre meuble traditionnel de l'art de la boulangerie québécoise. Elle servait à former les pains, une fois pétris, et à les conserver après qu'ils ont été cuits. Les mères de famille enfournaient généralement une fois par semaine, cuisant environ une vingtaine de pains à la fois.

Au Québec, le four à pain est au centre de nombreuses coutumes et traditions. Parfois construit à l'extérieur, parfois à l'intérieur, il est toujours au cœur de la vie de la famille québécoise. Il existait cependant aussi des fours communautaires. Les fours à pain québécois étaient généralement faits de glaise et de pierres des champs. Les bâtisseurs de fours étaient connus à la ronde. On se rappelle souvent d'Alexis le Trotteur, personnage quasi mythique du Saguenay — Lac-Saint-Jean, comme d'un expert constructeur de fours. Une fois terminé, on « mouillait le four », ce qui voulait dire le baptiser en l'arrosant avec de l'alcool ou de l'eau bénite. De plus, on y installait souvent un petit canard en argile, pour inciter le pain à s'envoler, pour qu'il lève bien et qu'il soit léger.

Un autre rituel mérite notre attention. « Battre la vieille année » était une fête qui avait lieu le 31 décembre. On dansait toute la soirée et, aux 12 coups de minuit, on battait légèrement le four (rituel de mort du four à pain). On faisait ainsi, symboliquement, sortir les mauvais esprits qui auraient pu s'attacher aux parois du four pendant l'année.

Même le langage est influencé par le four à pain au Québec. Les anciens ont créé une façon de parler imagée pour exprimer leurs désirs sexuels. Par exemple, pour savoir si sa femme daignerait lui accorder ses faveurs amoureuses, l'homme lui demandait, même devant les enfants : « C'est-y à soir qu'on chauffe le four? » Et si la femme n'était pas en forme, ou n'en avait pas envie, elle répondait : « Le bois est humide! » ou bien : « Y a pas de bois fendu! » Le peuple étant très croyant, le rituel sacré et spirituel en relation avec le pain était également très

1. Cette section est largement inspirée d'un article tiré de la revue *Aube,* n° 5, des éditions de la Plume de Feu, intitulé « Chronique des métiers d'antan : la boulangerie ».

présent. On traçait couramment une croix sur les pains avant de les enfourner. Gaspiller le pain était une mauvaise chose. On utilisait même le pain brûlé de plusieurs façons pour ne pas le perdre… en poudre, comme café de céréale ou pour faire du vin de pain brûlé, auquel on attribuait même des propriétés médicinales.

Dans les contes et les légendes, le diable vient souvent saboter les fours à pain des bons chrétiens, et si on a le malheur de refuser la charité à un quêteux, celui-ci peut vous lancer un mauvais sort, vous empêchant de faire du bon pain. Le seul moyen de contrer le sort était de piquer un mauvais pain avec des aiguilles et de le brûler.

PREMIÈRE MOISSON

Aujourd'hui, le pain est toujours très important au Québec, même si l'industrialisation à outrance a entraîné, comme chez les Européens, une fabrication de mauvaise qualité. Avec l'arrivée massive d'immigrants, les Québécois ont pu découvrir de nouveaux pains venus d'autres horizons. Certains Québécois ont, pour leur part, décidé de fabriquer eux-mêmes leur pain et d'ouvrir des boulangeries. Aujourd'hui, Première Moisson, société présidée par ma mère, Liliane Colpron, et cogérée par mes deux frères et moi-même, compte 15 boulangeries artisanales, réparties dans les régions de Montréal et de Québec. Ayant une formation en boulangerie, notre famille, dès le début des années 1990, a pris conscience du désastre de la consommation de cet aliment dans notre province et consacré toute sa passion à redonner au pain traditionnel ses lettres de noblesse. Nous nous sommes retroussé les manches et avons mis la main à la pâte avec une ferveur et une assurance à toute épreuve, sûrs de nous, malgré le scepticisme de beaucoup de gens d'affaires. Nous avions décidé de faire découvrir l'art du vrai. Entourés de boulangers venus de France et de boulangers québécois, nous avons pu atteindre notre objectif et développer notre entreprise tout en gardant notre âme, dans le respect des produits artisanaux que nous fabriquons et des personnes qui nous entourent. Le pari est donc gagné et cela ne cesse de se confirmer : les Québécois redécouvrent le goût des saveurs traditionnelles tout en s'ouvrant aux nouveaux horizons des pains, charcuteries et pâtisseries qui continuent de se développer.

Nombreux sont les boulangers amoureux du Québec qui sont venus pour nous alimenter de la passion du pain. Je pense que le Québec le leur rend bien. Merci à tous les boulangers du monde.

Technique de fabrication du pain

Faire son pain est à la fois simple et complexe. Simple, dans la mesure où les ingrédients de base, la farine, l'eau, la levure et le sel, sont des aliments faciles à trouver. Pas besoin, non plus, de matériel de cuisine sophistiqué : un bol, deux mains et un four suffisent. Les choses se compliquent lorsqu'il faut prendre en considération la température, le temps et les manipulations. Pour arriver à faire son pain, il faut de la patience, et le chemin sera probablement jalonné de quelques ratés ou de résultats médiocres. C'est un peu comme faire son jardin : l'apprentissage est nécessaire et, au bout du compte, on s'aperçoit que l'activité même nous a fait du bien.

Pour faire du pain, il faut suivre certaines règles. Une fois que vous les aurez assimilées, il vous sera facile de vous amuser davantage et de réaliser vos propres créations.

LE CHOIX DES INGRÉDIENTS

L'eau

- Utiliser l'eau du robinet, de préférence filtrée, ou de l'eau de source, sans arrière-goût. Les pains seront ainsi bien meilleurs.

Les levures

La levure est un micro-organisme qui se nourrit des sucres contenus dans la farine. Elle produit ainsi des gaz qui font gonfler le pain. Il existe deux types de levures utilisées en boulangerie :

- La levure fraîche, qui s'achète dans les boulangeries et a une durée de vie courte.
- La levure sèche active qui est disponible dans les supermarchés. Celle-ci est plus facile à travailler et d'une durée plus longue. C'est pour ces raisons qu'elle est recommandée dans les recettes. Vérifier cependant la date de péremption avant de commencer à cuisiner.

Les farines

Devant le rayon des farines de blé, il est préférable de savoir choisir celle qui convient. On y trouve les suivantes[1]:

- La farine intégrale moulue sur meule de pierre (type 150) qui a fait l'objet d'une seule mouture, sans tamisage, et qui conserve donc toutes ses propriétés nutritives, y compris le germe du blé.
- La farine blanche à pain (type 55), la plus couramment utilisée dans la fabrication du pain.
- La farine à pâtisserie (type 45) qui est une farine légère, blanche et utilisée pour les pâtes fines (la brioche, le croissant, le feuilleté...).
- La farine blanche appelée «tout usage», farine de compromis située entre la farine blanche à pain et la farine «à pâtisserie». C'est ce type de farine qui est utilisé en majeure partie dans nos recettes de pain. Étant souvent plus stable, elle donne de meilleurs résultats.

Il est important de savoir que plusieurs paramètres modifient la structure du blé: la génétique, les conditions climatiques, le sol ou le type d'agriculture. D'autres facteurs entrent en jeu lors de la panification: la sorte de blé, l'âge de la farine, le type de mouture (sur pierre ou sur cylindre), le tamisage, le taux d'humidité. Tous ces facteurs font de la farine un élément dont la complexité doit toujours être prise en compte par les boulangers professionnels.

1. Les farines sont codifiées en France selon des paramètres très techniques qu'il n'est pas indispensable de connaître lorsqu'on s'essaie à faire ses premiers pains. Il faut simplement retenir qu'il existe une gamme de farines qui va du type 45 au type 150. La première est obtenue à partir du cœur de l'amande du grain de blé. Elle est très fine, épurée et blanche. La dernière est intégrale, donc complète. Entre les deux se retrouvent différentes variétés de farines.

Le sel

Employer de préférence du sel de mer non traité, parce qu'il est naturel et beaucoup plus doux au goût que les sels de table ordinaires.

MESURER LES INGRÉDIENTS

Faire du pain demande de l'exigence et de la précision. Voici quelques petits conseils pratiques.

L'eau

Vérifier la mesure à la hauteur des yeux en plaçant le contenant sur le comptoir ou, encore mieux, peser l'eau: 1 ml d'eau = 1 g.

La farine

Utiliser de préférence une balance, beaucoup plus précise que la tasse à mesurer. Les farines n'ont pas toutes la même densité. Certaines sont plus lourdes pour un même volume.

LE MATÉRIEL NÉCESSAIRE

- Une balance.
- Des cuillères à mesurer. (Il est préférable, pour plus d'exactitude, d'utiliser des cuillères à mesurer plutôt que des cuillères de table. Noter que 1 c. à soupe = 15 ml et que 1 c. à café = 1 c. à thé = 5 ml.)
- Une tasse à mesurer.
- Un thermomètre de cuisine (facultatif).
- Un récipient (un grand bol ou un saladier), peu importe le type de matériau: métal, plastique ou verre.
- Une cuillère de bois.
- Du papier parchemin. Ne pas confondre le papier parchemin (aussi appelé papier sulfurisé) avec le papier

ciré. Ce dernier brûle sous l'effet de la chaleur. On trouve du papier parchemin dans la plupart des supermarchés. Il est très pratique, car il empêche les aliments de coller et permet de réduire l'utilisation de corps gras.

- Des plaques à pâtisserie pour le four.
- Un robot culinaire (facultatif).
- Un moulin à café.

LES TEMPÉRATURES

La levure doit être dissoute dans de l'eau tiède entre 30 °C (86 °F) en été et 40 °C (104 °F) en hiver, selon la température ambiante. Si la température de l'eau est plus élevée, la levure risque de mourir ou encore la fermentation se fera trop rapidement. Pour réaliser les recettes de ce livre, nous avons utilisé une température moyenne de 36 °C (97 °F), soit la température du corps.

La pâte lève mieux dans un endroit chaud, de 24 °C à 26 °C (75 °F à 79 °F), près du four, à l'abri des courants d'air. Les changements de température et d'humidité ralentissant ou accélérant l'activité de la levure, le temps de levée pourra varier d'une fois à l'autre et d'une saison à l'autre. Votre meilleur point de repère est que la pâte doit doubler de volume au moment de son dernier repos et prendre 50% de volume en cuisant.

CONSEIL DU BOULANGER

Voici la formule utilisée par les professionnels du pain pour évaluer la température exacte de l'eau :

Température de base – température ambiante – température de la farine = température de l'eau, la température de base étant d'environ 80 °C (176 °F) en hiver et 72 °C (162 °F) en été.

Le temps

Voici un «ingrédient» indispensable pour réussir votre pain, car celui-ci ne se fait pas à la va-vite ou dans le stress. Il faut lui laisser du temps et savoir planifier le vôtre. C'est le temps qui permet le développement des arômes. Une plus longue fermentation de la pâte vous donnera aussi un pain qui se conservera plus longtemps. Assurez-vous de prévoir le temps nécessaire en fonction des recettes.

LES ÉTAPES POUR FAIRE SON PAIN

Avec l'expérience, vous vous apercevrez qu'il faudra parfois modifier la dose de farine et d'eau pour obtenir la texture de pâte recherchée. Il est important d'explorer, de faire des essais, d'oser modifier les recettes selon l'intuition et l'inspiration du moment.

Les recettes de ce livre ont comme caractéristique de donner des pâtes à pain plutôt molles, voire collantes. C'est ce qu'on appelle en boulangerie des «pâtes très hydratées». Celles-ci sont plus difficiles à manipuler, mais elles donnent des pains qui se conservent plus longtemps et qui sont plus savoureux, avec des mies légères, souples, élastiques et alvéolées. Leurs croûtes sont fines et craquantes.

1. **Mélanger les ingrédients.**
   - Dans un bol (saladier), dissoudre rapidement la levure dans l'eau et ajouter le sel. Incorporer graduellement la farine. Mélanger avec les mains ou une cuillère de bois jusqu'à l'obtention d'une préparation lisse et homogène (environ 5 minutes). À cette étape, ne pas fariner la préparation. La pâte sera humide et collante, et c'est parfait! Travailler la pâte d'un geste rapide pour éviter qu'elle colle trop dans les mains. Si c'est le cas, mouiller les doigts.

RABATTRE LA PÂTE

2. **Laisser reposer.**
   - Couvrir la pâte avec un sac de plastique ou un linge humide. La laisser reposer le temps indiqué dans la recette (de 30 à 60 minutes) à température ambiante.

3. **Rabattre la pâte.**
   Le rabat est un mouvement que l'on effectue sur la pâte, lors du pétrissage manuel, pour lui donner de la consistance et de la force. Cette opération est très importante, car elle va donner de l'élasticité à la pâte tout en y emprisonnant l'air.
   - Étirer la pâte et la replonger au centre. Répéter l'opération de 15 à 20 fois en tournant le bol chaque fois.
   - Faire le travail dans le bol pour les pâtes plus molles ou sur une surface de travail farinée pour les pâtes plus fermes.
   - Mouiller les doigts si la pâte est trop collante.

4. **Couvrir et laisser reposer 1 ou 2 heures selon la recette.**

5. **Rabattre à nouveau de 5 à 20 fois selon la recette. Bien fariner la pâte à cette étape pour la remettre en boule.**
   Pour former une boule avec la pâte (pour les pâtes plus fermes):
   - Bien fariner la surface de la pâte pour la rendre moins collante.
   - Tenir le morceau de pâte dans les mains.
   - Étirer légèrement puis la replier en 2.
   - Écraser avec la paume des mains la partie ouverte.
   - Recommencer le même mouvement 5 ou 6 fois en retournant la pâte d'un quart de tour chaque fois.
   - Former une surface lisse et propre.

   Éviter de déchirer la pâte. Placer les boules façonnées, la couture vers le bas, dans le bol ou sur une plaque à pâtisserie.

6. **Couvrir et laisser reposer 1 ou 2 heures selon la recette.**

METTRE EN BOULE

7. **Diviser et façonner la pâte.**
   - Déposer la pâte sur une planche préalablement farinée.
   - Diviser (découper) la pâte en un certain nombre de morceaux selon la recette. Utiliser un coupe-pâte ou un couteau. Fariner si nécessaire.
   - Façonner la pâte consiste à donner une forme aux morceaux de pâte selon les indications de la recette. Lorsque la pâte est trop collante, fariner légèrement pour mieux la travailler. Si elle est difficile à façonner, laisser reposer quelques minutes et recommencer.

8. **Laisser reposer.**
   Pendant ce dernier repos, la levure produit du gaz carbonique qui permettra à la pâte de gonfler. Le temps nécessaire pour que la pâte augmente de volume dépend de différents facteurs, comme la quantité de levure utilisée, la température ambiante et la méthode de travail.
   - Laisser lever le pain à l'abri des courants d'air, près du four préchauffé, de 30 à 60 minutes, selon les recettes. La pâte doit généralement doubler de volume.
   - Cette étape est la dernière avant la cuisson. La pâte doit être manipulée le moins possible, et avec beaucoup de délicatesse.

9. **Cuire.**
   - Toujours préchauffer le four avant utilisation.
   - Pour obtenir un meilleur développement du pain ainsi qu'une croûte brillante et croustillante, déposer un récipient contenant de l'eau chaude sur la grille inférieure du four au moment de préchauffer.
   - Éviter d'ouvrir la porte du four au cours des 10 premières minutes de cuisson, car la pâte lève une dernière fois et la croûte se forme pendant cette période.
   - Les pains sont cuits dans la plupart des cas sur une plaque à pâtisserie. Parfois, celle-ci possède un fini antiadhésif. Dans ce cas, y déposer directement les pains. Pour les autres, huiler légèrement ou utiliser du papier parchemin.
   - Souvent, dans les boulangeries, on fait des entailles sur la croûte du pain. Celles-ci permettent au pain

de bien se développer à la cuisson. C'est aussi la signature du maître boulanger. Alors, à l'aide d'une lame de couteau fine ou d'une lame de rasoir, c'est le moment de «signer» les pains.
- Les fours ne sont pas systématiquement à la température à laquelle on les règle. Vérifier le pain 10 minutes avant la fin de la cuisson. Il doit présenter une couleur dorée et sa croûte doit être ferme. Taper légèrement dessus. Si cela sonne creux, tout va bien.
- Le pain prend environ 50% de volume au four.

10. Laisser refroidir le pain.
- Démouler, s'il y a lieu, et déposer les pains sur une grille pour que le surplus d'humidité puisse s'évacuer librement.
- Attendre de 10 à 15 minutes avant de manger les pains frais.

11. Conservation.
- Il est préférable de conserver le pain dans un linge ou un sac de coton à température ambiante. Ils peuvent aussi être congelés dans un sac de plastique.

NOTE : Vous verrez souvent la mention «fariner si nécessaire» dans les recettes. Elle signifie qu'il faut ajouter un peu de farine sur la pâte afin de pouvoir la manipuler adéquatement. Il suffira parfois de fariner simplement les mains, car il ne faut pas non plus alourdir la pâte à pain.

LE PAIN

Le pain évoque pour moi non seulement des souvenirs, mais aussi un héritage d'éducation: l'amour du métier de boulanger. Je me souviens de mes frères qui, dès l'âge de 10 ans, faisaient leurs premières expériences. J'ai de tendres souvenirs de mon beau-père, André Peltier, boulanger comme son père et son grand-père à Montrouge, tout près de Paris, qui a su, tous les jours, nous communiquer sa passion du pain.

Mon beau-père nous a aussi enseigné que la pâte est un élément vivant et qu'en tant que boulanger nous devons toujours composer avec elle, car ses réactions varient de jour en jour. Je dirais qu'un boulanger attentif à son travail est, en quelque sorte, le psychologue de sa pâte. Il doit la voir évoluer, la suivre tout au long de son cheminement et lui donner les éléments de soutien nécessaires, qui varient chaque jour selon la température, les récoltes, ainsi que selon son humeur et celle de ses confrères de travail. Nous avons appris qu'une panification se porte toujours mieux lorsque nous y mettons du cœur, de la joie et de la fantaisie.

Moi aussi, vers l'âge de 10 ans, je me suis lancée dans l'univers du pain en commençant par étaler ceux de mes frères. Que pouvais-je faire de mieux que de prendre ce pain, l'apporter au magasin et lui donner ses lettres de noblesse en l'étalant de façon artistique?

Je me revois, toute fière, les pains sur mon bras comme une corde de bois, les plaçant dans le magasin. Ma mère m'a appris à mettre les grignes dans le même sens et à ne jamais placer un pain à l'envers. Elle m'a surtout enseigné que rien ne doit se faire par automatisme, car nous devons être conscients que chacun de nos gestes fait vivre notre étalage au même titre que les gestes du boulanger qui travaille sa pâte.

Je dédie ce chapitre aux membres de ma famille: à ma mère, à mes frères, Bernard et Stéphane, ainsi qu'à mon père.

Galette primitive

2 galettes de 4 cm (1 ½ po) d'épaisseur sur 20 cm (8 po) de diamètre
Temps de préparation : 30 min · Temps de repos de la pâte : 32 h
Temps de cuisson : 45 min

J'ai voulu passionnément cette galette, sans levain ni levure, car elle s'impose à moi comme un voyage dans le temps, même si son goût ne doit pas ressembler à l'originale. J'adore son odeur, sa rugosité et son côté brut.

PRÉPARATION

- Préparation (voir méthode p. 14).
- Dans un grand bol, dissoudre le sel dans l'eau.
- Incorporer graduellement 500 g (3 ½ tasses) de farine et remuer à l'aide d'une cuillère de bois jusqu'à l'obtention d'une préparation lisse et homogène (elle sera liquide).
- Couvrir et laisser reposer de 20 à 24 h à 25 °C (77 °F) (le four éteint avec la lumière allumée est l'endroit tout désigné).
- Le lendemain, la pâte présentera des signes de fermentation, soit des bulles de gaz et une odeur de levain.
- Incorporer le reste de la farine et rabattre environ 20 fois (voir technique p. 17).
- Huiler 2 moules à tarte de 20 cm (8 po) et y verser la pâte.
- Couvrir et laisser reposer de 6 à 8 h à température ambiante.
- Déposer un récipient avec de l'eau chaude dans le four et préchauffer à 200 °C (400 °F).
- Enfourner et laisser cuire environ 45 min jusqu'à ce que les galettes soient bien dorées. Ne pas ouvrir la porte du four pendant les 10 premières minutes.
- Démouler et laisser refroidir sur une grille.

INGRÉDIENTS

- 2 c. à café (2 c. à thé) de sel de mer
- 500 ml (2 ⅓ tasses) d'eau de source chaude à 45 °C (110 °F)
- 500 g (3 ½ tasses) + 100 g (⅔ tasse) de farine de blé intégrale

NOTE : Il est recommandé de peser la farine.

INGRÉDIENTS

- 75 g (½ tasse) de graines de lin
- 75 g (½ tasse) de graines de sésame
- 2 c. à café (2 c. à thé) de levure sèche active
- 475 ml (2 tasses + 2 c. à soupe) d'eau de source tiède à 36 °C (97 °F)
- 2 c. à café (2 c. à thé) de sel de mer
- 500 g (3 ½ tasses) de farine d'épeautre + 50 g (⅓ tasse) pour le travail

NOTE : Il est recommandé de peser la farine.

PRÉPARATION

Pain de ferme aux graines de lin et de sésame

1 grosse miche · Temps de préparation : 30 min
Temps de repos de la pâte : 4 h 15 · Temps de cuisson : 35 min

Il y a de la générosité dans le pain de ferme, car sa mie est dense et abondante. Je vous conseille de le faire en hiver pour accompagner des plats comme le pot-au-feu ou un ragoût. Il est aussi excellent pour le petit-déjeuner.

- Préparation (voir méthode p. 14).
- Moudre les graines de lin et de sésame avec un moulin à café.
- Dans un grand bol, dissoudre la levure dans l'eau et ajouter le sel.
- Incorporer graduellement la farine et les graines moulues en remuant à l'aide d'une cuillère de bois. Lorsque la pâte commence à être plus difficile à travailler, continuer avec les mains environ 5 min jusqu'à l'obtention d'une préparation lisse et homogène (la pâte sera molle et collante).
- Couvrir et laisser reposer 1 h à température ambiante.
- Rabattre la pâte 20 fois et la remettre en boule (voir technique p. 17).
- Couvrir et laisser reposer 1 ½ h à température ambiante.
- Rabattre la pâte encore 15 fois. La remettre en boule et fariner au besoin.
- Couvrir et laisser reposer 1 h à température ambiante.
- Rabattre la pâte environ 5 fois. La remettre en boule et fariner au besoin.
- Déposer la boule de pâte sur une plaque à pizza, de préférence trouée. Aplatir un peu la boule.
- Laisser le pain lever de 45 à 60 min près du four à l'abri des courants d'air.
- Déposer un récipient avec de l'eau chaude dans le four et préchauffer à 240 °C (450 °F).
- Faire quelques incisions d'environ 2 cm (½ po) sur le dessus de la miche à l'aide d'une lame fine et tranchante. Fariner légèrement.
- Enfourner et laisser cuire environ 15 min à 240 °C (450 °F) et environ 20 min à 200 °C (400 °F). Ne pas ouvrir la porte du four pendant la cuisson.
- Sortir le pain du four et le laisser refroidir sur une grille.

Pain de ménage blanc ou de blé entier

PRÉPARATION

2 pains carrés ou 18 petits pains · Temps de préparation : 30 min
Temps de repos de la pâte : 3 h · Temps de cuisson : 40 min

Le pain de ménage est le pain de mie traditionnel québécois, onctueux et moelleux, qui fond dans la bouche. Mon frère Bernard a fait un petit voyage dans sa mémoire pour se rappeler comment nos vieux boulangers le faisaient. Voici donc le résultat du pain de nos origines, un régal tout en douceur pour le palais.

- Préparation (voir méthode p. 14).
- Dans un grand bol, dissoudre la levure dans le lait. Ajouter le sel et le beurre fondu.
- Incorporer graduellement la farine et remuer à l'aide d'une cuillère de bois. Lorsque la pâte commence à être plus difficile à travailler, continuer avec les mains environ 5 min jusqu'à l'obtention d'une préparation lisse et homogène (la pâte sera molle et collante).
- Couvrir et laisser reposer 30 min à température ambiante.
- Rabattre la pâte 20 fois (voir technique p. 17).
- Couvrir et laisser reposer 1 ½ h à température ambiante.
- Déposer la pâte sur la surface de travail farinée et la diviser en 2. Former avec chaque morceau de pâte une boule légèrement allongée. Déposer chacune d'elles dans les moules préalablement beurrés.
- Laisser lever environ 60 min à l'abri des courants d'air (la pâte devrait doubler de volume).
- Déposer un récipient avec de l'eau chaude dans le four et préchauffer à 240 °C (450 °F).
- Enfourner et laisser cuire 10 min à 240 °C (450 °F) puis réduire la température à 200 °C (400 °F) environ 25 min jusqu'à ce qu'ils soient bien dorés. Ne pas ouvrir la porte du four pendant les 10 premières minutes.
- Démouler les pains et laisser refroidir sur une grille.

INGRÉDIENTS

PAIN BLANC

- 3 c. à café (3 c. à thé) de levure sèche active
- 600 ml (2 ⅓ tasses) de lait entier 3,25 % tiède à 36 °C (97 °F)
- 2 ½ c. à café (2 ½ c. à thé) de sel de mer
- 2 c. à soupe de beurre fondu
- 750 g (5 ⅓ tasses) de farine blanche (p. 15) + 75 g (½ tasse) pour le travail
- 2 c. à soupe de beurre pour les moules

PAIN DE BLÉ ENTIER

- Utiliser la même quantité de farine de blé entier et ajouter simplement 80 ml (⅓ tasse) de lait
- 2 moules à pain de 21 cm x 12 cm x 6 cm (8 ½ po x 4 ½ po x 2 ½ po)

NOTE : Il est recommandé de peser la farine.

VARIANTE

Petit pain farci au foie gras de canard, voir recette p. 68.

PETITS PAINS INDIVIDUELS

- Utiliser des moules à muffins.
- Reprendre les étapes de la recette du pain de ménage jusqu'au moment de déposer la pâte dans les moules.
- Beurrer les cavités des moules à muffins.
- Séparer la pâte en 18 petites boules bien farinées. Les déposer dans les cavités et laisser lever 45 min à l'abri des courants d'air.
- Déposer un récipient avec de l'eau chaude dans le four et préchauffer à 225 °C (425 °F).
- Enfourner et laisser cuire environ 25 min.

Petits pains à la farine de kamut

4 petits pains · Temps de préparation : 30 min
Temps de repos de la pâte : 4 h · Temps de cuisson : 30 min

- 2 c. à café (2 c. à thé) de levure sèche
- active
- 450 ml (2 tasses) d'eau tiède à 36 °C (97 °F)
- 2 c. à café (2 c. à thé) de sel de mer
- 500 g (3 1/3 tasses) de farine de kamut
  + 50 g (1/3 tasse) pour le travail

NOTE : Il est recommandé de peser la farine.

PRÉPARATION

Voici le petit pain idéal pour avoir bonne conscience. Avec sa mie épaisse, il donne l'impression de nourrir chaque cellule de notre corps.

- Préparation (voir méthode p. 14).
- Dans un grand bol, dissoudre la levure dans l'eau et ajouter le sel.
- Incorporer graduellement la farine et remuer à l'aide d'une cuillère de bois. Lorsque la pâte commence à être plus difficile à travailler, continuer avec les mains environ 5 min jusqu'à l'obtention d'une préparation lisse et homogène (la pâte sera collante).
- Couvrir et laisser reposer 30 min à température ambiante.
- Rabattre la pâte 20 fois et la remettre en boule (voir technique p. 18).
- Couvrir et laisser reposer 1 ½ h à température ambiante.
- Rabattre encore la pâte 15 fois et la remettre en boule.
- Couvrir et laisser reposer 1 ½ h à température ambiante.
- Diviser la pâte en 4 morceaux égaux et former des boules. Fariner si nécessaire.
- Déposer les boules de pain, la couture vers le haut, sur une plaque à pâtisserie préalablement huilée. Conserver un espace de 4 cm (1 ½ po) entre chacun des pains.
- Déposer un récipient avec de l'eau chaude dans le four et préchauffer à 225 °C (425 °F).
- Laisser lever les pains près du four de 45 à 60 min à l'abri des courants d'air.
- Enfourner et laisser cuire de 20 à 30 min jusqu'à ce que les pains soient bien dorés. Ne pas ouvrir la porte du four pendant les 10 premières minutes.
- Laisser refroidir sur une grille.

Petits pains viennois au beurre

8 petits pains d'environ 12 cm de diamètre (5 po)
Temps de préparation : 30 min · Temps de repos de la pâte : 3 h 45
Temps de cuisson : 20 min

Ce pain, d'une extrême onctuosité, se mange comme une gâterie. Il représente, pour moi, l'amusement et la joie. La générosité du beurre le fait fondre dans la bouche, et, lorsqu'il est accompagné de chocolat ou de toute autre gâterie, on passe de la séduction au coup de foudre.

INGRÉDIENTS

- 2 c. à café (2 c. à thé) de levure sèche active
- 350 ml (1 ½ tasse) de lait tiède à 36 °C (97 °F)
- 2 œufs moyens
- 2 c. à soupe de sucre
- 2 c. à café (2 c. à thé) de sel de mer
- 500 g (3 ½ tasses) de farine blanche (p. 15) + 50 g (⅓ tasse) pour le travail
- 90 g (⅓ tasse + 2 c. à soupe) de beurre non salé mou

NOTE : Il est recommandé de peser la farine.

PRÉPARATION

- Préparation (voir méthode p. 14).
- Dans un grand bol, dissoudre la levure dans le lait. Ajouter les œufs, le sucre et le sel.
- Incorporer graduellement la farine et remuer à l'aide d'une cuillère de bois. Lorsque la pâte commence à être plus difficile à travailler, continuer avec les mains environ 5 min jusqu'à l'obtention d'une préparation lisse et homogène (la pâte sera molle et collante).
- Couvrir et laisser reposer 30 min à température ambiante.
- Rabattre la pâte 20 fois (voir technique p. 17).
- Couvrir et laisser reposer 1 ½ h à température ambiante.
- Placer un linge humide sous une planche à découper pour bien la stabiliser. Fariner et déposer la pâte. Rabattre environ 15 fois en incorporant graduellement le beurre.
- Remettre la pâte dans le bol, couvrir et laisser reposer 1 h à température ambiante.
- Déposer de nouveau la pâte sur la planche farinée et la diviser en 8 morceaux égaux (à cette étape, on peut faire des variantes : voir p. 69).
- Former des boules uniformes en repliant 5 à 7 fois la pâte sur elle-même. Déposer sur une plaque à pâtisserie.
- Laisser lever les pains 45 min près du four à l'abri des courants d'air.
- Déposer un récipient avec de l'eau chaude dans le four et préchauffer à 225 °C (425 °F).
- Faire un X sur le dessus des pains à l'aide d'une lame fine et coupante de 5 mm (¼ po) de profondeur.
- Enfourner et laisser cuire de 15 à 20 min jusqu'à ce que les viennois soient bien dorés. Ne pas ouvrir la porte du four pendant les 10 premières minutes.
- Laisser refroidir sur une grille.

VARIANTES

Voici les recettes à la p. 69 :

- Viennois roulé à la cannelle
- Viennois au chocolat
- Viennois aux raisins

Pain-galette aux dattes et au muesli

PRÉPARATION

10 galettes d'environ 12 cm (5 po) de diamètre
Temps de préparation : 30 min · Temps de repos de la pâte : 2 h
Temps de cuisson : 25 min

- 250 g (2 tasses) de dattes dénoyautées
- 2 c. à café (2 c. à thé) de levure sèche active
- 700 ml (3 tasses + 2 c. à soupe) d'eau tiède à 36 °C (97 °F)
- 2 c. à café (2 c. à thé) de sel de mer
- 300 g (2 tasses) de farine de blé entier
- 200 g (1 ½ tasse) de farine blanche (p. 15) + 50 g (⅓ tasse) pour le travail
- 75 g (½ tasse) de graines de tournesol
- 4 c. à soupe de graines de lin moulues
- 75 g (¾ tasse) de noix de coco râpée
- 150 g (1 ½ tasse) de mélange de flocons de céréales (avoine, épeautre, kamut, blé) au choix + 50 g (½ tasse) pour la garniture

NOTE : Il est recommandé de peser la farine.

Une charmante galette à l'allure rustique qui ressemble à un gros biscuit, à la différence près qu'il s'agit d'un pain. Il ne comporte donc aucun gras ni de sucre. Raison de plus pour en raffoler. Le muesli est un mélange de céréales et de fruits.

- Préparation (voir méthode p. 14).
- Laisser ramollir les dattes dans de l'eau très chaude pendant 10 min.
- Dans un grand bol, dissoudre la levure dans l'eau et ajouter le sel.
- Incorporer graduellement les deux farines, les graines de tournesol, les graines de lin, la noix de coco et les flocons de céréales. Remuer à l'aide d'une cuillère de bois. Lorsque la pâte commence à être plus difficile à travailler, continuer avec les mains environ 5 min jusqu'à l'obtention d'une préparation lisse et homogène (la pâte sera molle et collante).
- Égoutter les dattes, les couper en 2 et les mélanger à la pâte.
- Couvrir et laisser reposer 30 min à température ambiante.
- Rabattre la pâte 15 fois (voir technique p. 17).
- Couvrir et laisser reposer 1 h à température ambiante.
- Déposer la pâte sur une planche préalablement farinée et la diviser en 10 morceaux égaux (fariner au besoin).
- Former des petites boules et les déposer sur une plaque à pâtisserie huilée. Les aplatir avec les doigts mouillés afin de former des galettes de 1,5 à 2 cm (¾ po) d'épaisseur. Garnir avec les flocons de céréales restants.
- Laisser reposer 40 min près du four à l'abri des courants d'air.
- Préchauffer le four à 180 °C (350 °F).
- Enfourner et laisser cuire environ 25 min sur la grille du haut. Ne pas ouvrir la porte du four pendant les 10 premières minutes.
- Laisser refroidir sur une grille.

NOTE

Les pains-galettes aux dattes et au muesli se conservent au réfrigérateur 4 ou 5 jours et se congèlent très bien. Les couper en deux sur l'épaisseur avant de les passer au grille-pain. Tartiner de beurre ou de fromage.

Naan

8 pains naan · Temps de préparation : 30 min
Temps de repos de la pâte : 3 h 15 · Temps de cuisson : 5 min

Le naan, d'origine indienne et traditionnellement cuit sur les parois d'un four en pierre nommé tandoori, va vous permettre de marier le moelleux d'une pâte avec des plats en sauce habituellement épicés. Le «petit problème» avec le naan, c'est que, lorsque vous commencez à en manger, vous avez du mal à vous arrêter, surtout quand on l'utilise à table pour remplacer les ustensiles comme on le fait en Inde. Je vous propose une recette originale. À vous de vous amuser avec les variantes !

PRÉPARATION

- Préparation (voir méthode p. 14).
- Dans un grand bol, diluer le yogourt dans l'eau (on utilisera ici de l'eau plus chaude que dans les autres recettes, car le yogourt est froid). Ajouter la levure, le sel et le cumin.
- Incorporer graduellement la farine et remuer à l'aide d'une cuillère de bois environ 5 min jusqu'à l'obtention d'une préparation lisse et homogène (la pâte sera molle et très collante).
- Couvrir et laisser reposer 1 h à température ambiante.
- Rabattre la pâte 20 fois (voir technique p. 17). À cette étape, ajouter les ingrédients pour les variantes (voir p. 37).
- Couvrir et laisser reposer 1 ½ h à température ambiante.
- Rabattre à nouveau 15 fois en farinant légèrement la pâte.
- Fariner la surface de travail et y verser la pâte encore très molle, puis la fariner juste assez afin de la rendre moins collante.
- Étendre la pâte délicatement avec les doigts et former un rectangle de 50 cm (20 po) x 30 cm (12 po) x 1,5 cm (½ po).
- Diviser la pâte en 8 morceaux égaux à l'aide d'un coupe-pâte ou d'un couteau et fariner légèrement chaque morceau.
- Laisser reposer 45 min.
- Chauffer une poêle à feu moyen. Y déposer les naans et les aplatir doucement.
- Cuire environ 5 min de chaque côté. Les pains sont cuits lorsque des points bruns se forment sur la pâte.
- Encore chaud, le naan est traditionnellement badigeonné de beurre clarifié, appelé ghee (voir p. 36).

INGRÉDIENTS

- 150 ml (2/3 tasse) de yogourt nature
- 300 ml (1 1/3 tasse) d'eau chaude à 70 °C (150 °F)
- 2 c. à café (2 c. à thé) de levure sèche active
- 2 c. à café (2 c. à thé) de sel de mer
- 1 c. à soupe de cumin moulu (facultatif)
- 500 g (3 1/2 tasses) de farine blanche (p. 15) + de 75 g à 125 g (de 1/2 à 3/4 tasse) pour le travail

NOTES : Il est recommandé de peser la farine.

Il est possible de modifier le type de farine en faisant un mélange moitié farine blanche et moitié farine de blé entier.

Le naan se congèle et se réchauffe très bien au grille-pain.

LE GHEE

Les pays d'Europe du Sud ont l'huile d'olive, les Indiens ont le ghee, auquel on attribue, comme à cette dernière, de grandes vertus médicinales. Facile à réaliser, il va vous faire découvrir une nouvelle saveur.

- Dans une casserole en inox, chauffer à feu doux 450 g (1 lb) de beurre non salé de 40 à 60 min afin de faire évaporer le liquide. Surveiller régulièrement pour ne pas le laisser brûler.
- Laisser les solides du lait se déposer dans le fond puis filtrer le ghee avec un filtre à café.
- Conserver dans un pot de verre dans un endroit frais. Il se conservera environ 6 moins.
- Il est excellent pour cuire les aliments, car il possède un point de fumée très élevé (bonne résistance à la chaleur).
- Ajouter des épices au ghee encore chaud : cannelle, cardamome, pâte de cari, 5 épices chinoises...

VARIANTES SALÉES ET SUCRÉES DU NAAN

Après avoir appris à faire le naan, j'ai voulu développer son potentiel, car j'aime ce pain moelleux, original et différent qui se cuit dans une poêle et se réchauffe facilement au grille-pain. On peut aussi le manger dans la voiture, enroulé simplement d'un papier. Le naan s'est révélé le pain parfait auquel on peut incorporer une gamme inimaginable d'ingrédients. Passant du salé au sucré, je vous propose donc quelques variantes. Pour créer les différentes variantes de naan, il suffit d'inclure les ingrédients désirés au moment d'effectuer le premier rabat. Ajouter de la farine si nécessaire. La pâte doit toujours avoir une texture très molle.

FROMAGE CHEDDAR

Ajouter à la préparation de base, sans le cumin:
- 250 g (1 ½ tasse) de cheddar fort râpé grossièrement

RICOTTA ET CIBOULETTE

Ajouter à la préparation de base, sans le cumin:
- 225 g (1 tasse) de fromage ricotta mou
- 4 c. à soupe de ciboulette fraîche ou séchée
- Poivre du moulin

CHÈVRE ET POIVRONS GRILLÉS

Ajouter à la préparation de base, sans le cumin:
- 225 g (1 tasse) de fromage de chèvre préalablement réchauffé pour le ramollir
- 225 ml (1 tasse) de poivrons rouges grillés coupés en dés (voir méthode p. 88, ou en pot)
- Poivre du moulin

PESTO ET TOMATES SÉCHÉES

Ajouter à la préparation de base, sans le cumin:
- 225 ml (1 tasse) de tomates séchées hachées grossièrement
- 6 c. à soupe de pesto

MOZZARELLA ET ANTIPASTO

Ajouter à la préparation de base, sans le cumin:
- 325 ml (1 ½ tasse) de fromage mozzarella
- 325 ml (1 ½ tasse) d'antipasto italien vendu en pot à l'épicerie

DOUBLE CHOCOLAT

Ajouter à la préparation de base, sans le cumin:
- 4 c. à soupe de miel
- 200 g (1 ⅓ tasse) de brisures de chocolat noir
- 200 g (1 ⅓ tasse) de brisures de chocolat au lait

CANNELLE ET RAISINS

Ajouter à la préparation de base, sans le cumin:
- 4 c. à soupe de miel
- 2 c. à café (2 c. à thé) de cannelle
- 150 g (1 ½ tasse) de raisins séchés

Il est préférable d'hydrater les raisins en les faisant tremper 1 h dans de l'eau chaude. Ils deviendront beaucoup plus tendres et agréables à manger. Bien les égoutter avant de les mettre dans la pâte.

PRUNEAUX

Ajouter à la préparation de base, sans le cumin:
- 4 c. à soupe de miel
- 1 c. à café (1 c. à thé) de vanille
- 150 g (1 ½ tasse) de pruneaux coupés en 2

DATTES, FIGUES ET ORANGE

Ajouter à la préparation de base, sans le cumin:
- 4 c. à soupe de miel
- Le jus et le zeste finement râpé de 1 grosse orange
- 225 ml (1 tasse) de figues séchées et hachées grossièrement
- 225 ml (1 tasse) de dattes hachées grossièrement

Pain-galette coco, abricots et amandes

PRÉPARATION

3 pains-galettes · Temps de trempage : 1 h · Temps de préparation : 30 min
Temps de repos de la pâte : 3 h · Temps de cuisson : 45 min

- Préparation (voir méthode p. 14).
- Hydrater les abricots en les faisant tremper 45 min dans de l'eau chaude.
- Griller les amandes au four jusqu'à ce qu'elles soient dorées (sauf celles pour la garniture).
- Dans un grand bol, diluer le lait de coco avec l'eau. Dissoudre la levure, ajouter le sel, le miel et la noix de coco, et mélanger.
- Incorporer graduellement la farine et remuer à l'aide d'une cuillère de bois. Lorsque la pâte commence à être plus difficile à travailler, continuer avec les mains environ 5 min jusqu'à l'obtention d'une préparation lisse et homogène (la pâte sera molle et très collante).
- Hacher grossièrement les abricots et les incorporer à la pâte avec les amandes grillées.
- Couvrir et laisser reposer 1 h à température ambiante.
- Rabattre la pâte 15 fois (voir technique p. 17).
- Couvrir et laisser reposer 1 h à température ambiante.
- Beurrer 3 moules à gâteaux d'environ 20 cm (8 po) de diamètre.
- Séparer la pâte en 3 parties égales et former des boules (fariner au besoin).
- Déposer les boules de pâte dans les moules et aplatir en mouillant avec les doigts afin que la pâte couvre la surface des moules.
- Déposer un récipient avec de l'eau chaude dans le four et préchauffer à 180 °C (350 °F).
- Laisser gonfler les pains de 30 à 45 min en les plaçant près du four à l'abri des courants d'air.
- Faire fondre le beurre et badigeonner les pains à l'aide d'un pinceau.
- Garnir avec les amandes non grillées et saupoudrer de sucre de canne.
- Enfourner et cuire environ 45 min jusqu'à ce que les pains soient bien dorés.
- Démouler et laisser refroidir sur une grille.

INGRÉDIENTS

- **200 g (1 ¼ tasse) d'abricots séchés**
- **250 ml (1 tasse + 2 c. à soupe) de lait de coco en conserve**
- **250 ml (1 tasse + 2 c. à soupe) d'eau chaude à 50 °C (120 °F)**
- **2 c. à café (2 c. à thé) de levure sèche active**
- **2 c. à café (2 c. à thé) de sel de mer**
- **3 c. à soupe de miel**
- **100 g (1 tasse) de noix de coco râpée, non sucrée**
- **500 g (3 ½ tasses) de farine blanche (p. 15) + 50 g (⅓ tasse) pour le travail**
- **175 g (1 ¾ tasse) d'amandes effilées + 60 g (½ tasse) pour la garniture**
- **60 g (¼ tasse) de beurre**
- **4 c. à soupe de sucre de canne (de préférence)**

NOTE : Il est recommandé de peser la farine.

Focaccia aux herbes de Provence
Focaccia aux tomates et aux olives

Focaccia aux herbes de Provence

PRÉPARATION

3 focaccias de 20 cm (8 po) chacune · Temps de préparation : 30 min
Temps de repos de la pâte : 4 h · Temps de cuisson : 20 min

FOCACCIA

- 2 c. à café (2 c. à thé) de levure sèche active
- 425 ml (1 3/4 tasse + 2 c. à soupe) d'eau tiède à 36 °C (97 °F)
- 2 c. à soupe d'huile d'olive
- 2 c. à café (2 c. à thé) de sel de mer
- 500 g (3 1/2 tasses) de farine blanche (p. 15) + 50 g (1/3 tasse) pour le travail

NOTE : Il est recommandé de peser la farine.

GARNITURE

- 3 c. à soupe d'huile d'olive
- 3 c. à café (3 c. à thé) d'herbes de Provence
- 3 pincées de fleur de sel ou de sel de mer

SUGGESTION

Couper les focaccias en pointes et servir à l'apéritif.

Amusez-vous à faire des focaccias. Originaire de la Ligurie, en Italie, ce pain, considéré comme le plus vieux de ce pays, vous permet de laisser aller votre imagination en choisissant les garnitures. Huile d'olive, ail, tomates séchées, herbes de Provence, fromages, saveurs d'ailleurs, vinaigres... Lancez-vous ! Je vous propose quelques suggestions, mais faites confiance à votre créativité.

- Préparation (voir méthode p. 14).
- Dans un grand bol, dissoudre la levure dans l'eau. Ajouter l'huile et le sel.
- Incorporer graduellement la farine et remuer à l'aide d'une cuillère de bois. Lorsque la pâte commence à être plus difficile à travailler, continuer avec les mains environ 5 min jusqu'à l'obtention d'une préparation lisse et homogène (la pâte sera très molle et collante).
- Couvrir et laisser reposer 30 min à température ambiante.
- Rabattre la pâte 20 fois (voir technique p. 17).
- Couvrir et laisser reposer 1 ½ h à température ambiante.
- Rabattre la pâte 15 fois.
- Couvrir et laisser reposer 1 ½ h à température ambiante.
- Huiler 3 moules à gâteaux de 20 cm (8 po) de diamètre.
- Fariner la pâte afin de pouvoir la diviser en 3 morceaux de même grosseur.
- Replier chaque morceau 5 ou 6 fois pour former des boules qui seront déposées dans les moules.
- Couvrir et laisser reposer 15 minutes.
- Déposer un récipient avec de l'eau chaude dans le four et préchauffer à 220 °C (425 °F).
- Aplatir les boules avec le bout des doigts au fond des moules. Garnir la surface de chaque focaccia avec 1 c. à soupe d'huile d'olive, 1 c. à café (1 c. à thé) d'herbes de Provence et une pincée de fleur de sel (ou garnir selon les variantes proposées p. 42).
- Laisser lever la pâte environ 45 min près du four à l'abri des courants d'air.
- Enfourner et laisser cuire de 15 à 20 min. Ne pas ouvrir la porte du four pendant les 10 premières minutes.
- Démouler et laisser refroidir sur une grille.
- Une fois refroidies, les focaccias peuvent être congelées.

Focaccia à l'ail, au poivre et au citron

Variante · 3 focaccias

PRÉPARATION

- Reprendre la recette de base (p. 41) jusqu'à l'étape de la garniture (herbes et sel).
- Dans une poêle, chauffer tous les ingrédients sauf l'huile.
- Laisser évaporer le liquide à feu doux.
- Mélanger avec l'huile.
- Aplatir les boules avec le bout des doigts au fond des moules.
- Garnir les focaccias.
- Laisser lever la pâte environ 30 min près du four à l'abri des courants d'air.
- Enfourner et laisser cuire de 15 à 20 min. Ne pas ouvrir la porte du four pendant les 10 premières minutes.
- Démouler et laisser refroidir sur une grille.

INGRÉDIENTS

- 4 c. à soupe de vin blanc
- 4 c. à soupe d'ail haché fin
- Le zeste de 2 citrons hachés finement
- Le jus de 1 citron
- 1 c. à soupe de thym
- 1 c. à café (1 c. à thé) de sel de mer
- 1 c. à café (1 c. à thé) de poivre noir grossièrement moulu
- 4 c. à soupe d'huile d'olive

Focaccia aux tomates et aux olives

Variante · 3 focaccias

PRÉPARATION

- Reprendre la recette de base (p. 41) jusqu'à l'étape de la garniture (herbes et sel).
- Enfoncer les olives dans la pâte, couvrir avec les tomates. Ajouter les herbes de Provence et les tranches d'oignon.
- Saler, poivrer.
- Arroser d'huile.
- Laisser lever la pâte environ 30 min près du four à l'abri des courants d'air.
- Enfourner et laisser cuire de 15 à 20 min. Ne pas ouvrir la porte du four pendant les 10 premières minutes.
- Démouler et laisser refroidir sur une grille.

INGRÉDIENTS

- 250 ml (1 tasse) d'olives noires entières et dénoyautées
- 2 tomates tranchées finement
- 6 pincées d'herbes de Provence broyées entre les doigts
- 1 oignon tranché très finement
- Fleur de sel et poivre du moulin
- 3 c. à soupe d'huile d'olive

Piadina romagnola

6 piadinas · Temps de préparation : 30 min
Temps de repos de la pâte : de 2 à 6 h · Temps de cuisson : 6 min

INGRÉDIENTS

- 500 g (3 ½ tasses) de farine blanche (p. 15)
- 2 c. à café (2 c. à thé) de levure chimique (poudre à pâte)
- 1 c. à café (1 c. à thé) de sel de mer
- 150 g (⅔ tasse) de beurre salé froid, coupé en petits cubes
- 300 ml (1 ⅓ tasse) de lait froid

NOTE : Il est recommandé de peser la farine.

SUGGESTION

La piadina nature peut être coupée en pointes et servie avec des antipasti, de la tapenade ou un fromage à tartiner aux herbes.

PRÉPARATION

Je vous propose de découvrir un pain de la région de l'Émilie-Romagne, en Italie. La piadina est une galette cuite dans une poêle épaisse, qui se consomme nature, ou garnie comme un sandwich. La différence : tous les ingrédients sont cuits dans la pâte encore crue. La piadina originale est confectionnée avec du saindoux ; nous avons choisi de le remplacer par du beurre. L'huile d'olive peut aussi être utilisée.

PRÉPARATION AVEC LE ROBOT CULINAIRE

- Dans le bol du robot, mettre la farine, la levure, le sel et le beurre.
- Faire tourner en ajoutant le lait jusqu'à la formation d'une boule de pâte.
- Envelopper la pâte dans une pellicule plastique et laisser reposer au réfrigérateur de 2 à 6 h.

PRÉPARATION À LA MAIN

- Dans un grand bol, mélanger la farine, la levure et le sel à l'aide d'une fourchette.
- Ajouter les cubes de beurre et sabler la pâte (incorporer le beurre à la farine en frottant les ingrédients entre les mains jusqu'à ce qu'ils ressemblent à du gros sable).
- Faire un puits au milieu de la préparation et y verser le lait.
- Mélanger à l'aide d'une fourchette.
- Terminer le travail en aplatissant la pâte avec la paume des mains pour former une boule lisse et compacte (travailler rapidement la pâte ; moins elle sera manipulée et plus elle sera délicate et légère).
- Envelopper la pâte dans une pellicule plastique et laisser reposer au réfrigérateur de 2 à 6 h.
- Diviser la pâte en 6 morceaux égaux.
- Former des galettes rondes. À l'aide d'un rouleau à pâtisserie, aplatir les galettes à une épaisseur d'environ 3 mm (⅛ po) pour former un diamètre de 22,5 cm (9 po) pour les piadinas garnies. Pour les piadinas natures, aplatir à une épaisseur de 5 mm (¼ po) pour former un diamètre de 20 cm (8 po).
- Préchauffer une poêle de fonte 10 min à température moyenne.
- Cuire dans la poêle chaude, en retournant les piadinas plusieurs fois, jusqu'à l'obtention de taches brunes et dorées.

Piadina garnie au prosciutto de Parme

1 piadina

INGRÉDIENTS

- 6 tranches minces de jambon de Parme ou équivalent
- 6 ou 7 copeaux de parmesan frais
- 4 feuilles de roquette ou de basilic frais
- 1 trait d'huile d'olive
- Quelques gouttes de vinaigre balsamique

PRÉPARATION

- Suivre les étapes de la recette de Piadina romagnola (p. 43).
- Répartir les ingrédients sur la moitié de la pâte à piadina crue.
- Replier l'autre partie du cercle pour former une demi-lune. Passer un coup de rouleau à pâtisserie pour rendre le tout bien égal. Cuire dans une poêle adhésive si possible, de 3 à 4 min de chaque côté.

SUGGESTIONS DE GARNITURES

- Fromage au goût (mozzarella, havarti, parmesan frais, ricotta, etc.).
- Viande au goût (jambon de Parme, saucisson, jambon fumé, poulet, etc.).
- De la moutarde, des cornichons, de l'huile, des olives, des poivrons au goût.
- Émincer les garnitures et les placer sur la moitié de la pâte à piadina. Replier l'autre partie du cercle pour former une demi-lune. Passer un coup de rouleau à pâtisserie pour rendre le tout bien égal. Cuire dans une poêle antiadhésive si possible, de 3 à 4 min de chaque côté.

- jambon ou saucisson sec
- fromage OKA
- ciboulette
- olives vertes

- magret de canard coupé finement
- tomates séchées - re-humidifiées
- ciboulette ou basilic ou roquette ou cresson
- huile d'olive

on peut préparer à l'avance, les cuire et les réchauffer au four.

Piadina garnie au prosciutto de Parme
Piadina nature

Pâte à pizza

PRÉPARATION

4 pizzas minces de 30 cm (12 po) de diamètre
Temps de préparation : 30 min · Temps de repos de la pâte : de 18 à 24 h
Temps de cuisson : 15 min

C'est la pizza qui est le plat le plus consommé dans le monde occidental, et non le hamburger, comme on pourrait s'y attendre. Car la pizza, connue dans le monde entier, a été adaptée en fonction des cultures culinaires. Les pâtes sont plus ou moins épaisses, aromatisées, compactes ou légères. Les recettes de garnitures, quant à elles, sont loin d'être rigides. On peut y mettre ce que l'on veut, au goût. Je vous propose une recette de pâte à pizza traditionnelle. Mais pour la garniture, là encore, amusez-vous !

Voici une technique pour faire des pâtes à pizza minces, à la fois tendres et croustillantes. Le secret réside dans le repos de la pâte (au moins 18 h au réfrigérateur). Faites de même avec la sauce pour que les saveurs puissent se développer.

- Préparation (voir méthode p. 14).

LA SAUCE (À PRÉPARER D'AVANCE)

- Broyer les tomates avec les mains ou les passer rapidement au robot afin qu'elles restent en morceaux, puis mélanger avec le reste des ingrédients.

LA PÂTE

- Dans un grand bol, dissoudre la levure dans l'eau. Ajouter le sel et l'huile.
- Incorporer graduellement la farine et remuer à l'aide d'une cuillère de bois. Lorsque la pâte commence à être plus difficile à travailler, continuer avec les mains environ 5 min jusqu'à l'obtention d'une préparation lisse et homogène (la pâte sera molle et collante).
- Couvrir et laisser reposer 30 min à température ambiante.
- Rabattre la pâte 20 fois (voir technique p. 17).
- Couvrir et laisser reposer 30 min à température ambiante.
- Fariner la surface de travail et y déposer la pâte. Fariner légèrement le dessus de la pâte.
- Diviser en 4 morceaux égaux à l'aide d'un coupe-pâte ou d'un couteau.
- Mettre la pâte en boule. (Il est possible à cette étape de congeler les morceaux non utilisés en les enveloppant d'une pellicule plastique. Les laisser décongeler dans le réfrigérateur, puis procéder avec les étapes suivantes.)

INGRÉDIENTS

LA SAUCE TOMATE (SANS CUISSON)
POUR 8 PIZZAS

- 1 boîte de 796 ml (28 oz) de tomates italiennes entières ou broyées
- 2 c. à soupe d'huile d'olive
- 1 c. à café (1 c. à thé) de sel de mer
- 1 c. à café (1 c. à thé) de piments forts hachés finement
- 1 c. à café (1 c. à thé) d'origan
- 1 c. à café (1 c. à thé) de basilic
- 1 c. à café (1 c. à thé) d'ail (au goût)

LA PÂTE

- 2 c. à café (2 c. à thé) de levure sèche active
- 400 ml (1 3/4 tasse) d'eau tiède à 36 °C (97 °F)
- 2 c. à café (2 c. à thé) de sel de mer
- 2 c. à soupe d'huile d'olive
- 500 g (3 1/2 tasses) de farine blanche (p. 15) + 50 g (1/3 tasse) pour le travail

NOTE : Il est recommandé de peser la farine.

INGRÉDIENTS

PRÉPARATION

Pâte à pizza (suite)

- Déposer les boules dans un contenant de plastique huilé. Fermer avec le couvercle ou un sac de plastique.
- Conserver de 18 à 24 h au réfrigérateur.
- Sortir les boules du réfrigérateur (elles auront perdu un peu de leur forme).
- Huiler légèrement et former des boules bien lisses.
- Laisser reposer 15 min à température ambiante.
- Aplatir les boules avec la paume des mains.
- Laisser reposer 15 min.
- Avec les doigts, aplatir la pâte pour former des disques d'environ 30 cm (12 po) de diamètre. Fariner légèrement si nécessaire. (Si la pâte semble élastique, la laisser de nouveau reposer pour qu'elle prenne la température ambiante.)
- Préchauffer le four à 240 °C (450 °F).
- Déposer la pâte sur une plaque à pizza huilée, de préférence trouée pour que la pâte puisse dorer en dessous.
- Étendre 90 ml (⅓ tasse) de sauce pour chaque pizza (voir p. 46).
- Garnir selon la recette ou au goût.
- Cuire dans le four très chaud environ 15 min.

Pizza aux artichauts et à la saucisse italienne

1 pizza de 30 cm (12 po)

INGRÉDIENTS

- ¼ de recette de pâte à pizza (1 boule)
- 90 ml (⅓ tasse) de sauce tomate (voir recette p. 46)
- 125 g (3 ¼ oz) de fromage mozzarella râpé
- 200 g (7 oz) de saucisse italienne
- 100 g (½ tasse) d'artichauts marinés en boîte
- 10 olives noires coupées en deux
- 3 c. à soupe de parmesan frais râpé
- 1 petit oignon coupé en lamelles

PRÉPARATION

- Étaler la pâte à pizza (voir recette de base).
- Étendre la sauce.
- Piquer la saucisse avec la pointe d'un couteau et faire bouillir environ 10 min.
- Couper la peau et retirer la chair de la saucisse. La couper en morceaux puis l'étaler sur la pizza.
- Garnir avec la mozzarella, les artichauts, les olives, le parmesan et l'oignon.
- Cuire dans le four très chaud de 15 à 20 min.

Flammenkueche d'Alsace

Calzone

2 portions

INGRÉDIENTS

- ¼ de recette de pâte à pizza (1 boule)
- 125 g (¾ tasse) de mozzarella
- 90 g (3 oz) de jambon, en julienne
- 70 g (2 ½ oz) de saucisson italien, en julienne
- 60 g (⅔ tasse) de courgettes, en julienne
- 125 ml (½ tasse) de sauce à pizza (voir recette p. 46)

PRÉPARATION

- Suivre la recette de la pâte à pizza, p. 46.
- Aplatir la pâte avec les doigts pour former un disque de 30 cm (12 po).
- Garnir la moitié de la pâte en commençant par la mozzarella, le jambon, le saucisson et les courgettes.
- Replier la partie de pâte non garnie sur la garniture (comme pour un chausson). Fermer les rebords pour les sceller en les écrasant, puis les retourner sur eux-mêmes et les pincer pour finir.
- Déposer sur une plaque à cuisson avec un papier parchemin.
- Fariner légèrement le dessus du calzone.
- Préchauffer le four à 240 °C (450 °F).
- Enfourner et cuire dans un four très chaud de 15 à 20 min.
- Sortir du four et servir le calzone accompagné de la sauce à pizza.

Flammenkueche d'Alsace

1 flammenkueche de 30 cm de diamètre (12 po)

INGRÉDIENTS

- ¼ de recette de pâte à pizza (1 boule)
- 4 c. à soupe de fromage à la crème
- 3 c. à soupe de crème sure
- 1 c. à soupe de ciboulette fraîche hachée
- Poivre du moulin
- 90 g (3 oz) de bacon coupé en petits cubes
- 70 g (2 ½ oz) d'emmental ou de gruyère râpé
- 90 g (3 oz) d'oignon émincé

PRÉPARATION

- Suivre la recette de la pâte à pizza, p. 46.
- Aplatir la pâte avec les doigts pour former un disque de 30 cm (12 po). Fariner légèrement si nécessaire et mettre sur une plaque de cuisson.
- Ramollir le fromage à la crème en le fouettant avec la crème sure ou utiliser 7 c. à soupe de crème épaisse.
- Tartiner la surface de la pâte avec le mélange. Parsemer de ciboulette et poivrer.
- Cuire le bacon à la poêle. Dégraisser.
- Garnir la flammenkueche avec le bacon, l'emmental et l'oignon émincé.
- Préchauffer le four à 240 °C (450 °F).
- Enfourner et cuire dans un four très chaud de 15 à 20 min.

Ciabatta

6 ciabattas de 15 cm (6 po) de longueur · Temps de préparation : 30 min
Temps de repos de la pâte : 3 h 45 · Temps de cuisson : 20 min

J'aime ce pain d'Émilie-Romagne, car, comme la focaccia, il permet d'exercer nos talents de cuisinier, en faisant preuve de créativité et d'imagination. En réalisant ce sandwich grillé, célèbrement appelé panini, nous pouvons adapter la recette en fonction du goût, du moment, de l'occasion. La consistance de ce pain est extraordinaire, car il offre une légère résistance de croûte et une douceur de mie unique en son genre. Petit conseil : n'hésitez pas à faire des paninis pour vos enfants afin qu'ils découvrent la richesse de ce sandwich pas comme les autres.

INGRÉDIENTS

- 2 c. à café (2 c. à thé) de levure sèche active
- 375 ml (1 ²/₃ tasse) d'eau tiède à 36 °C (97 °F)
- 2 c. à café (2 c. à thé) de sel de mer
- 2 c. à soupe d'huile d'olive
- 500 g (3 ¹/₂ tasses) de farine blanche (p. 15) + 50 g (¹/₃ tasse) pour le travail

NOTE : Il est recommandé de peser la farine.

PRÉPARATION

- Préparation (voir méthode p. 14).
- Dans un grand bol, dissoudre la levure dans l'eau. Ajouter le sel et l'huile.
- Incorporer graduellement la farine et remuer à l'aide d'une cuillère de bois. Lorsque la pâte commence à être plus difficile à travailler, continuer avec les mains environ 5 min jusqu'à l'obtention d'une préparation lisse et homogène (la pâte sera molle et collante).
- Couvrir et laisser reposer 30 min à température ambiante.
- Rabattre la pâte 20 fois (voir technique p. 17).
- Couvrir et laisser reposer 1 h à température ambiante.
- Rabattre la pâte 20 fois et la fariner.
- Couvrir et laisser reposer 1 ½ h à température ambiante.
- Déposer la pâte sur la surface de travail préalablement farinée.
- Aplatir la pâte délicatement et former un rectangle d'environ 22 cm (17 ½ po) x 14 cm (5 ½ po) x 2 cm (¾ po) d'épaisseur. Fariner si nécessaire.
- Diviser la pâte en 6 bandes égales à l'aide d'un coupe-pâte ou d'un couteau. Fariner si nécessaire.
- Déposer les ciabattas sur une plaque à pâtisserie. Laisser un espace de 3 cm (1 po) entre les pains.
- Huiler légèrement la surface des ciabattas.
- Laisser lever de 30 à 45 min près du four à l'abri des courants d'air.
- Déposer un récipient avec de l'eau chaude dans le four et préchauffer à 225 °C (425 °F).
- Enfourner et laisser cuire de 15 à 20 min jusqu'à ce que les ciabattas soient dorées. Ne pas ouvrir la porte du four pendant les 10 premières minutes.
- Laisser refroidir sur une grille.

CIABATTA AUX OLIVES ET AUX HERBES DE PROVENCE

Variante

- Reprendre la recette de ciabatta et ajouter au mélange liquide (eau, levure, sel et huile) : 1 c. à soupe d'herbes de Provence et 150 g (1 tasse) d'olives noires dénoyautées et égouttées.
- Incorporer la farine et poursuivre les étapes.
- Ajouter un peu de farine si le mélange est trop liquide.

Ficelle au parmesan et aux tomates séchées

8 ficelles · Temps de préparation : 45 min
Temps de repos de la pâte : 3 h · Temps de cuisson : 15 min

INGRÉDIENTS

- 2 c. à café (2 c. à thé) de levure sèche active
- 375 ml (1 ²/₃ tasse) d'eau tiède à 36 °C (97 °F)
- 4 c. à soupe d'huile d'olive
- 2 c. à café (2 c. à thé) d'origan
- 2 c. à soupe de vinaigre balsamique blanc ou régulier
- 75 g (½ tasse) de tomates séchées finement hachées (préférer celles qui sont vendues dans l'huile d'olive)
- 2 c. à café (2 c. à thé) de sel de mer
- 500 g (3 ½ tasses) de farine blanche (p. 15) + 50 g (⅓ tasse) pour le travail
- 225 ml (1 tasse) de parmesan râpé

NOTE : Il est recommandé de peser la farine.

PRÉPARATION

- Préparation (voir méthode p. 14).
- Dans un grand bol, dissoudre la levure dans l'eau. Ajouter l'huile, l'origan, le vinaigre, les tomates et le sel.
- Incorporer graduellement la farine et remuer à l'aide d'une cuillère de bois. Lorsque la pâte commence à être plus difficile à travailler, continuer avec les mains environ 5 min jusqu'à l'obtention d'une préparation lisse et homogène (la pâte sera collante).
- Couvrir et laisser reposer 30 min à température ambiante.
- Rabattre la pâte 20 fois (voir technique p. 17).
- Couvrir et laisser reposer 1 h à température ambiante.
- Rabattre encore la pâte 15 fois. Remettre en boule et fariner au besoin.
- Couvrir et laisser reposer 1 h à température ambiante.
- Déposer la pâte sur la surface de travail préalablement farinée et la diviser en 8 morceaux égaux.
- Former des cordons de 30 à 40 cm (12 à 15 po) de long en les roulant entre les mains et la surface de travail. Fariner au besoin.
- Plonger les ficelles dans de l'eau tiède pour ensuite les rouler dans le parmesan.
- Déposer les ficelles sur une plaque à pâtisserie huilée (ou sur du papier parchemin) en laissant un espace de 3 cm (1 po) entre chacun des morceaux.
- Couvrir et laisser lever les pains de 30 à 45 min près du four à l'abri des courants d'air.
- Déposer un récipient avec de l'eau chaude dans le four et préchauffer à 225 °C (425 °F).
- Enfourner et laisser cuire environ 15 min jusqu'à ce que les pains soient bien dorés. Ne pas ouvrir la porte du four pendant les 10 premières minutes.
- Laisser refroidir sur une grille.

Pita libanais

8 pitas de 15 cm (7 po) · Temps de préparation : 30 min
Temps de repos de la pâte : 1 h 50 · Temps de cuisson : 10 min

Le Liban propose une «cuisine mosaïque» influencée par les différentes cultures qui font la richesse et la complexité de ce pays. Je vous conseille vivement, si vous ne la connaissez pas, de la découvrir. J'ai choisi une recette de pita, un des seuls pains sans mie dont la croûte, très moelleuse, offre un très bon support pour les ingrédients. Pour moi, le pita est enveloppant comme un cocon ou un nuage et devient comme un gros coussin lorsqu'il est ouvert et garni.

INGRÉDIENTS

- 2 c. à café (2 c. à thé) de levure sèche active
- 325 ml (1 ½ tasse) d'eau tiède à 36 °C (97 °F)
- 2 c. à café (2 c. à thé) de sel de mer
- 2 c. à soupe d'huile d'olive
- 200 g (1 ½ tasse) de farine blanche (p. 15) + 50 g (⅓ tasse) pour le travail
- 300 g (2 tasses) de farine de blé entier

NOTE : Il est recommandé de peser la farine.

PRÉPARATION

- Préparation (voir méthode p. 14).
- Dans un grand bol, dissoudre la levure dans l'eau, puis ajouter le sel et l'huile.
- Incorporer graduellement les farines et remuer à l'aide d'une cuillère de bois. Lorsque la pâte commence à être plus difficile à travailler, continuer avec les mains environ 5 min jusqu'à l'obtention d'une préparation lisse et homogène.
- Couvrir et laisser reposer 1 h à température ambiante.
- Diviser la pâte en 8 morceaux égaux.
- Former des boules avec les morceaux de pâte en les repliant sur eux-mêmes environ 8 fois. Fariner si la pâte est trop collante (voir technique p. 18).
- Déposer les boules sur une plaque à pâtisserie légèrement farinée.
- Aplatir les boules afin d'obtenir des disques de 2 cm (¾ po) d'épaisseur.
- Couvrir et laisser reposer 20 min.
- À l'aide d'un rouleau à pâtisserie, abaisser délicatement les disques de pâte à environ 5 mm (¼ po) d'épaisseur et 15 cm (6 po) de diamètre. Fariner si le rouleau colle.
- Placer les pitas sur la table de travail et les couvrir avec des linges humides ou une pellicule plastique.
- Laisser reposer 30 min.
- Préchauffer le four à 240 °C (450 °F).
- Cuire environ 10 min, jusqu'à ce que les pitas soient légèrement dorés et gonflés.
- À la sortie du four, les couvrir d'un linge humide et les laisser dégonfler. Les pitas se congèlent très bien.

PITAS ÉPICÉS ET CROUSTILLANTS

Suggestion

- Séparer les pitas en 2 sur l'épaisseur et les badigeonner d'une huile épicée. Couper en triangles, déposer sur une plaque et faire griller au four jusqu'à ce qu'ils soient secs et croquants.
- Les accompagner d'hoummos ou d'une trempette.

INGRÉDIENTS

- 2 c. à café (2 c. à thé) de levure sèche active
- 375 ml (1 2/3 tasse) d'eau tiède à 36 °C (97 °F)
- 2 c. à café (2 c. à thé) de sel de mer
- 500 g (3 1/2 tasses) de farine blanche (p. 15) + 50 g (1/3 tasse) pour le travail
- 225 g (7 1/2 oz) de saucisson sec coupé en petits cubes de 6 mm (1/4 po)
- 225 g (7 1/2 oz) de fromage à raclette coupé en petits cubes de 6 mm (1/4 po)

NOTE : Il est recommandé de peser la farine.

CHEDDAR ET JALAPEÑOS

2 pains

250 g (1 1/2 tasse) de cheddar fort râpé

40 g (1/4 tasse) de piments jalapeños marinés, égouttés et hachés

- Remplacer le saucisson et le fromage à raclette par le cheddar.
- Ajouter les jalapeños. Répartir les ingrédients sur la surface de pâte à pain.
- Suivre les mêmes étapes pour la suite.

PRÉPARATION

Pain au saucisson et au fromage à raclette

2 pains · Temps de préparation : 45 min

Temps de repos de la pâte : 3 h · Temps de cuisson : 25 min

Vous aimez la raclette ? Voici la recette de raclette portable ! Facile à faire, comme un sandwich, vous pouvez la manger n'importe où.

- Préparation (voir méthode p. 14).
- Dans un grand bol, dissoudre la levure dans l'eau et ajouter le sel.
- Incorporer graduellement la farine et remuer à l'aide d'une cuillère de bois. Lorsque la pâte commence à être plus difficile à travailler, continuer avec les mains environ 5 min jusqu'à l'obtention d'une préparation lisse et homogène (la pâte sera collante).
- Couvrir et laisser reposer 30 min à température ambiante.
- Rabattre la pâte 20 fois (voir technique p. 17).
- Couvrir et laisser reposer 1 ½ h à température ambiante.
- Déposer la pâte sur une planche préalablement farinée et la diviser en 2.
- Aplatir chaque morceau de pâte avec les doigts ou délicatement avec un rouleau à pâtisserie pour former 2 rectangles de 30 cm x 20 cm (12 po x 8 po).
- Garnir également les 2 rectangles avec les cubes de fromage et de saucisson. Bien distribuer les cubes sur toute la surface de la pâte.
- Rouler le tout sur le sens de la longueur, « comme une bûche », et déposer sur une plaque à pâtisserie légèrement huilée.
- Couvrir et laisser lever les pains environ 1 h près du four à l'abri des courants d'air.
- Déposer un récipient avec de l'eau chaude dans le four et préchauffer à 225 °C (425 °F).
- Faire 3 ou 4 incisions sur le dessus du pain à l'aide d'une lame fine.
- Enfourner et cuire pendant environ 25 min jusqu'à ce que les pains soient bien dorés. Ne pas ouvrir la porte du four pendant les 10 premières minutes.
- Laisser refroidir sur une grille.

Bagel aux graines de sésame

10 bagels · Temps de préparation : 60 min
Temps de repos de la pâte : 2 h · Temps de cuisson : 15 min

J'ai appris à manger les bagels avec des amis que je qualifierais d'« accros aux bagels ». Ils coupent soigneusement le bagel encore tiède en deux, comme dans un rituel, puis le tartinent généreusement de fromage à la crème. Ils y déposent des tranches de saumon fumé, des tranches de tomate et d'oignon blanc. Le petit secret : saler légèrement tomate et oignon. Un vrai régal !

INGRÉDIENTS

- 2 œufs
- 150 ml (2/3 tasse) de lait tiède à 36 °C (97 °F)
- 150 ml (2/3 tasse) d'eau tiède à 36 °C (97 °F)
- 2 c. à café (2 c. à thé) de levure sèche active
- 2 c. à café (2 c. à thé) de sel de mer
- 350 g (2 1/2 tasses) de farine blanche (p. 15) + 50 g (1/3 tasse) pour le travail
- 150 g (1 tasse) de farine de seigle ou de farine blanche
- 1 c. à soupe de bicarbonate de soude
- 125 ml (1/2 tasse) de graines de sésame entières

NOTE : Il est recommandé de peser la farine.

PRÉPARATION

- Préparation (voir méthode p. 14).
- Dans un grand bol, battre les œufs dans le lait et l'eau. Dissoudre la levure rapidement et ajouter le sel.
- Incorporer graduellement les farines et remuer à l'aide d'une cuillère de bois. Lorsque la pâte commence à être plus difficile à travailler, continuer avec les mains environ 5 min jusqu'à l'obtention d'une préparation lisse et homogène (la pâte sera collante).
- Couvrir et laisser reposer 30 min à température ambiante.
- Rabattre la pâte 20 fois et la remettre en boule (voir technique p. 17). Fariner si la pâte est encore collante. La pâte à bagel devrait être plutôt ferme et ne doit pas coller aux mains.
- Couvrir et laisser reposer encore 1 h à température ambiante.
- Déposer un récipient avec de l'eau chaude dans le four et préchauffer à 225 °C (425 °F).
- Faire bouillir une grande casserole d'eau avec le bicarbonate de soude.
- Rabattre de nouveau la pâte 5 fois et la déposer sur une planche à découper préalablement farinée.
- Allonger la pâte en forme de bûche de 8 cm (3 po) de diamètre.
- À l'aide d'un couteau, couper 10 rondelles égales.
- Perforer le centre des rondelles avec les pouces et faire tourner pour donner leur forme aux bagels. Fariner si la pâte est trop collante.
- Plonger 2 bagels à la fois dans l'eau pendant 30 secondes.
- Mettre les graines de sésame dans une assiette et y rouler les bagels.
- Déposer les bagels sur une plaque à pâtisserie en prenant soin de laisser 4 cm (1 ½ po) entre chacun des pains.
- Enfourner et laisser cuire environ 20 min jusqu'à ce que les bagels soient bien dorés.
- Sortir du four et laisser refroidir sur une grille.

Bretzels

8 bretzels · Temps de préparation : 45 min
Temps de repos de la pâte : 2 h 30 · Temps de cuisson : 15 min

J'adore les bretzels, car ils sont synonymes de cuisine en famille et de fêtes avec des amis. On s'amuse quand on fait des bretzels. Les enfants adorent participer, car ils créent des formes avec les cordons de pâte. Il y a de l'amusement, de la gaieté, de la fantaisie et de la joie dans ce pain. Les bretzels que je vous propose sont moins denses que la recette traditionnelle.

INGRÉDIENTS

- 2 c. à café (2 c. à thé) de levure sèche active
- 1 c. à soupe de sucre
- 385 ml (1 3/4 tasse) d'eau tiède à 36 °C (97 °F)
- 2 c. à café (2 c. à thé) de sel de mer
- 2 c. à soupe d'huile
- 500 g (3 1/2 tasses) de farine blanche (p. 15) + 50 g (1/3 tasse) pour le travail
- 2 œufs
- 2 c. à soupe d'eau
- 4 c. à café (4 c. à thé) de fleur de sel ou de gros sel de mer

NOTE : Il est recommandé de peser la farine.

PRÉPARATION

- Préparation (voir méthode p. 14).
- Dans un grand bol, dissoudre la levure et le sucre dans l'eau. Ajouter le sel et l'huile.
- Incorporer graduellement la farine et remuer à l'aide d'une cuillère de bois. Lorsque la pâte commence à être plus difficile à travailler, continuer avec les mains environ 5 min jusqu'à l'obtention d'une préparation lisse et homogène (la pâte sera molle et collante).
- Couvrir et laisser reposer 1 h à température ambiante.
- Rabattre la pâte 20 fois (voir technique p. 17).
- Couvrir et laisser reposer 1 h à température ambiante.
- Rabattre de nouveau la pâte 5 fois et la déposer sur une planche à découper préalablement farinée.
- Déposer un récipient avec de l'eau chaude dans le four et préchauffer à 225 °C (425 °F).
- Diviser la pâte en 8 morceaux égaux.
- Rouler les morceaux de pâte en forme de cordon d'environ 50 cm (20 po) de long. Fariner si la pâte est trop collante.
- Nouer les cordons en forme de bretzels ou leur donner une autre forme selon votre inspiration.
- Déposer sur une plaque à cuisson préalablement huilée ou sur un papier parchemin. Laisser un espace de 3 cm (1 po) entre chacun des bretzels.
- Laisser lever les bretzels 15 min près du four.
- Badigeonner les bretzels avec les œufs battus dans 2 c. à soupe d'eau et saupoudrer de sel.
- Enfourner et laisser cuire environ 15 min jusqu'à ce que les pains soient bien dorés. Ne pas ouvrir la porte du four pendant les 10 premières minutes.
- Laisser refroidir sur une grille.

VARIANTE

Hacher un gros oignon très fin et le faire revenir doucement 15 min à la poêle avec une goutte d'huile. Refroidir et incorporer à la pâte lors du mélange des ingrédients.

Bannock, bannik ou bannique (pain traditionnel amérindien)

6 à 8 banniques · Temps de préparation : 30 min
Temps de repos de la pâte : 1 h · Temps de cuisson : 15 min

Contrairement à ce que l'on pourrait croire, la bannock est d'origine écossaise. Ce sont les commerçants de fourrures qui ont apporté ce pain qui a été adapté par les autochtones et qu'ils ont surnommé bannick. Les seuls ingrédients de cette galette sont la farine, le sel et l'eau. Elle se déguste nature, avec de la confiture, ou encore avec des fruits secs. Pain des voyageurs, il se mange autour du feu de camp. C'est le pain de la nature et des grands espaces.

PRÉPARATION

LA BANNIQUE

Voici une adaptation un peu plus contemporaine et surtout délicieuse de la bannique, la bannique frite.

- Dans un grand bol, mélanger les ingrédients secs.
- Ajouter le lait et mélanger jusqu'à ce que la préparation soit lisse et homogène (la pâte sera très collante comme une pâte à crêpes épaisse).
- Couvrir et laisser reposer au réfrigérateur 1 h.
- Dans une poêle ou une friteuse, chauffer l'huile à 190 °C (375 °F). Déposer un morceau de pâte pour vérifier la température.
- Cuire les banniques en déposant des cuillerées de pâte dans l'huile chaude de 5 à 10 min selon la grosseur des morceaux. Retourner la pâte pour cuire les deux côtés.
- Manger chaud.

LA BANNIQUE SUR LE FEU DE CAMP (OU SUR LE BARBECUE)

- Reprendre la recette précédente. Ajouter au mélange 60 g (⅓ tasse) de farine à pâtisserie supplémentaire afin d'obtenir une pâte plus ferme.
- Former avec la pâte des lanières minces de 2 cm (¾ po) de largeur par 30 cm (12 po) de longueur.
- Enrouler la pâte autour d'une branche de bois d'environ 1,5 cm de diamètre (½ po). De préférence, utiliser du bois vert.
- Cuire la bannique doucement au-dessus de la braise ou du barbecue jusqu'à ce que le pain soit doré et se détache du bâton.

INGRÉDIENTS

- 100 g (¾ tasse) de farine de sarrasin
- 200 g (1 ½ tasse) de farine blanche (p. 15)
- 1 c. à café (1 c. à thé) de sel de mer
- 1 c. à café (1 c. à thé) de cardamome moulue
- 2 c. à café (2 c. à thé) de levure chimique (poudre à pâte)
- 6 c. à soupe de sucre d'érable en granule ou en morceaux concassés
- 250 ml (1 tasse + 2 c. à soupe) de lait froid
- 225 ml (1 tasse) d'huile pour friture

NOTE : Il est recommandé de peser la farine.

POUR LES AMATEURS DE SUCRE

Variantes

- Asperger la pâte (déjà enroulée autour de la branche) d'eau et la rouler dans le sucre. En cuisant, le sucre formera un caramel croquant.
- Enlever le bâton et farcir le trou avec de la confiture.

Bannique sur le feu de camp

INGRÉDIENTS

- 250 g (1 ¾ tasse) de farine de blé entier
- 1 c. à café (1 c. à thé) de sel de mer
- 1 c. à café (1 c. à thé) de basilic séché
- 1 c. à café (1 c. à thé) d'origan séché
- 60 g (¼ tasse) de beurre froid coupé en dés
- 160 ml (¾ tasse) de lait froid

NOTE : Il est recommandé de peser la farine.

VARIANTES

- Ajouter des graines de sésame sur la pâte étendue.
- Le beurre peut être remplacé par une huile de qualité (olive, carthame, sésame ou tournesol). La texture sera différente mais intéressante sur le plan nutritif.

PRÉPARATION

Lavash (craquelin) aux fines herbes

8 lavash de 10 cm x 20 cm (4 po x 8 po) · Temps de préparation : 20 min
Temps de repos de la pâte : 2 h · Temps de cuisson : de 30 à 40 min

Le lavash est ce que j'appelle le «pain de dépannage» de style craquelin qu'on doit toujours avoir sous la main. Il est délicieux avec du fromage et se prête parfaitement aux petites collations légères. Il apporte une note de fantaisie dans la corbeille à pain.

- Dans le bol du robot culinaire, mettre la farine, le sel, les herbes et le beurre froid.
- Mélanger par pulsions successives jusqu'à ce que le beurre soit complètement intégré dans la farine.
- Incorporer graduellement le lait jusqu'à l'obtention d'une boule de pâte. Ajouter un peu de lait ou de farine pour rectifier la consistance. La pâte devrait être ferme et ne doit pas être collante (comme de la pâte à tarte).
- Envelopper la boule dans un film plastique et réfrigérer 2 h jusqu'à ce qu'elle soit bien froide.
- Diviser la pâte en 8 morceaux.
- Placer chaque morceau entre 2 épaisseurs de papier parchemin.
- Aplatir avec un rouleau à pâtisserie afin d'obtenir des languettes de 3 mm (⅛ po) d'épaisseur.
- Préchauffer le four à 160 °C (325 °F).
- Cuire les lavash de 30 à 40 min sur des plaques à pâtisserie en retirant le papier du dessus tout en conservant celui du dessous, jusqu'à ce qu'ils soient dorés et craquants.
- Laisser sécher sur une grille dans le four éteint.
- Les craquelins se conservent très bien s'il ne reste plus d'humidité à l'intérieur. Les garder dans un contenant hermétique.

Chips aux graines de lin (sans friture)

240 g (8 ½ oz) de chips · Temps de préparation : 30 min
Temps de repos de la pâte : 1 h · Temps de cuisson : de 6 h à 10 h

Je vous propose de mettre un peu d'excentricité dans votre vie. Changez les traditionnelles chips pour cette nouvelle recette. Je suis sûre que vous allez les adorer à l'apéritif ou devant la télévision. Et, de plus, c'est bien meilleur pour la santé ! Je vous conseille de les accompagner d'une trempette de votre choix et de personnaliser la recette de base en changeant, par exemple, le tamari pour du sel ou encore en ajoutant des épices, des graines de tournesol ou des graines de sésame.

PRÉPARATION

- Moudre les graines de lin avec un moulin à café.
- Avec un fouet, mélanger la poudre obtenue avec l'eau et le tamari jusqu'à l'obtention d'une pâte très liquide (comme de la pâte à crêpe).
- Couvrir et laisser reposer 1 h.
- Étendre la pâte sur 4 feuilles de papier parchemin.
- Recouvrir avec les 4 autres feuilles (la pâte se retrouve ainsi en sandwich).
- Lisser le papier avec les mains pour répartir également la pâte sur toute la surface des feuilles de papier. Vous devez obtenir l'épaisseur d'une chips.
- Glisser chaque feuille sur une grille à pâtisserie.
- Préchauffer le four à 60 °C (140 °F).
- Faire déshydrater les plaques de chips jusqu'à ce qu'elles soient croustillantes (minimum 6 h) dans le four à basse température. Il est possible de faire se chevaucher les grilles de façon à tout faire cuire en même temps.
- Laisser refroidir et sécher les chips avant de les conserver dans un contenant hermétique.

INGRÉDIENTS

- 225 g (1 ½ tasse) de graines de lin dorées (celles-ci possèdent un goût moins prononcé que les brunes)
- 450 ml (2 tasses) d'eau tiède à 40 °C (100 °F)
- 4 c. à soupe de sauce tamari

MATÉRIEL SPÉCIFIQUE

- 8 feuilles de papier parchemin d'environ 25 cm x 30 cm (10 po x 12 po)
- 4 grilles à pâtisserie d'environ 25 cm x 30 cm (10 po x 12 po)

NOTE : Je laisse mes chips de lin cuire toute la nuit sans m'en préoccuper.

Chips aux graines de lin et de sésame

Variante

PRÉPARATION

- Suivre la même recette.

INGRÉDIENTS

- 175 g (1 ⅓ tasse) de graines de lin
- 50 g (⅓ tasse) de graines de sésame
- 400 ml (1 ¾ tasse) d'eau tiède à 40 °C (100 °F)
- 4 c. à soupe de sauce tamari

Chips épicées aux lentilles et aux légumes

Variante · 300 g (10 ½ oz)

INGRÉDIENTS

- 125 g (¾ tasse) de graines de lin dorées
- 125 g (⅔ tasse) de lentilles brunes
- 1 ½ branche de céleri hachée grossièrement
- 2 tomates fraîches coupées en cubes
- 1 oignon haché grossièrement
- ½ poivron rouge coupé en cubes
- 2 c. à soupe d'huile d'olive
- 2 c. à soupe de vinaigre balsamique
- 1 c. à soupe de sel de mer
- 1 c. à café (1 c. à thé) de paprika
- 1 à 2 c. à café (1 à 2 c. à thé) de sauce piquante (Tabasco)
- 156 ml (5 ½ oz) de jus de légumes (V-8)

PRÉPARATION

- Dans un moulin à café, réduire en poudre les graines de lin et les lentilles.
- Dans un robot, broyer tous les légumes. Ajouter l'huile, le vinaigre, le sel, le paprika et la sauce piquante. Laisser tourner le robot quelques minutes afin de réduire le mélange en purée.
- Ajouter le jus de légumes et les graines moulues.
- Bien mélanger ensemble les ingrédients afin d'obtenir une préparation homogène.
- Laisser reposer 1 h.
- Étendre la pâte en couche mince (épaisseur d'une chips) sur des feuilles de papier parchemin (voir recette p. 66).
- Préchauffer le four à 60 °C (140 °F).
- Faire déshydrater les plaques de chips jusqu'à ce qu'elles soient croustillantes (minimum 10 h) dans le four à basse température. Il est possible de faire se chevaucher les grilles de façon à tout faire cuire en même temps.
- Enlever les feuilles de papier et laisser refroidir avant de conserver dans un récipient hermétique.

Petit pain farci au foie gras de canard

Variante · 1 pain

INGRÉDIENTS

- 1 petite boule de pâte de pain de ménage blanc (voir recette p. 26)
- 40 g (1 ½ oz) de foie gras de canard

NOTE : On peut remplacer le foie gras de canard par du brie ou un autre fromage, au goût.

PRÉPARATION

- Préchauffer le four à 225 °C (425 °F). Y déposer un récipient contenant de l'eau chaude.
- Étendre la pâte d'1 petit pain individuel avec les doigts pour former une galette de 10 cm (4 po) de diamètre.
- Placer le morceau de foie gras au centre de la galette.
- Refermer la pâte autour du foie gras et plonger le tout dans une tasse à café légèrement beurrée.
- Enfourner et laisser cuire de 15 à 20 min jusqu'à ce que le pain soit doré. Ne pas ouvrir la porte du four pendant les 10 premières minutes.

INGRÉDIENTS

GARNITURE

- 125 g (1/2 tasse) de beurre mou
- 150 g (2/3 tasse) de cassonade (sucre roux)
- 2 c. à café (2 c. à thé) de cannelle

PRÉPARATION

Viennois roulés à la cannelle

Variante

- Préparation (voir méthode p. 14).
- Reprendre la recette du viennois au beurre (p. 30) jusqu'à l'étape de la division de la pâte et procéder comme suit :
- Diviser la pâte en 2 et la replier sur elle-même pour former 2 boules.
- Aplatir chaque boule de pâte avec les doigts ou délicatement avec un rouleau à pâtisserie, pour former 2 rectangles de 20 cm x 30 cm (8 po x 12 po).
- Étendre le beurre sur la surface des 2 rectangles.
- Répartir la cassonade sur le beurre et saupoudrer la cannelle sur toute la surface.
- Rouler la pâte sur le sens de la longueur, sans trop l'étirer, puis la déposer sur une plaque à pâtisserie.
- Faire 3 ou 4 incisions sur le dessus du pain à l'aide d'une lame fine.
- Laisser lever les pains de 30 à 45 min près du four à l'abri des courants d'air.
- Déposer un récipient avec de l'eau chaude dans le four et préchauffer à 225 °C (425 °F).
- Enfourner et laisser cuire de 15 à 20 min jusqu'à ce que les pains soient bien dorés. Ne pas ouvrir la porte du four pendant les 10 premières minutes.
- Laisser refroidir sur une grille.

VIENNOIS AU CHOCOLAT

- Suivre les étapes de la recette du viennois à la cannelle.
- Remplacer la cassonade et la cannelle par environ 100 g (1/2 tasse) de pépites ou de brisures de chocolat pour chaque pain.
- Ajouter des zestes finement râpés d'orange ou des canneberges confites, au goût.

VIENNOIS AUX RAISINS

- Suivre les étapes de la recette du viennois à la cannelle.
- Pour chaque pain, remplacer la cassonade et la cannelle par 100 g (1/2 tasse) de raisins secs préalablement hydratés dans une quantité égale d'eau chaude (environ 3 h). Bien égoutter les raisins avant de les distribuer sur la pâte.

AVEC LE PAIN

Lorsque je suis arrivé, il y a 10 ans, chez Première Moisson, les boulangeries ne faisaient que quelques sandwichs, alors que la demande pour une cuisine plus élaborée devenait de plus en plus pressante. J'avoue avoir eu la chance de tomber au bon moment, avec les bonnes personnes, qui m'ont laissé le champ libre pour développer ce que j'appelle une cuisine de boulangerie. Je ne suis pas boulanger, mais ma relation avec le pain est passionnée. Chaque matin, en arrivant, je respire son odeur, je le regarde et je l'écoute. Et, chaque matin, je lui demande: «Qu'allons-nous faire ensemble aujourd'hui?» En préparant ce livre, j'ai aimé tester, expérimenter, me questionner au travers de l'univers des sens. Josée et moi avons travaillé de concert, fait, défait, refait, abandonné, repris. Nous voulions découvrir des saveurs qui chatouillent la langue. Nous avons exploré du côté des textures nouvelles et retrouvé celles qui font rejaillir nos souvenirs. Notre livre propose des recettes simples, à partager au quotidien avec la famille et les amis. Du pain, nous en avons fait un infatigable: en pleine forme le matin, mature dans la journée, noctambule et toujours prêt à être utilisé le lendemain pour ne pas être jeté. Je suis très heureux de vous faire part du fruit de quelques-unes de mes expériences, dont le personnage principal est le pain. J'espère qu'en les partageant avec vos proches vous éprouverez le même plaisir que j'ai à les préparer. Amusez-vous et, surtout, prenez le temps de savourer chaque instant. Lorsqu'on cuisine par amour, le résultat a bien meilleur goût.

ÉRIC BLAIS

BEURRES AROMATISÉS

Le pain, encore tiède, craque sous la dent, tout simplement avec un morceau de beurre ou une savoureuse huile d'olive. Mis de côté depuis quelques années, le beurre revient doucement dans la culture culinaire pour offrir des subtilités de saveurs qui relèvent le goût du pain. Nos beurres, qu'ils soient sucrés ou salés, accompagnent tous les repas de la journée.

BEURRE À LA FLEUR D'AIL ET AUX TOMATES SÉCHÉES

Environ 275 g (1 ¼ tasse)

La fleur d'ail est un condiment relativement nouveau sur le marché. On la retrouve en petits pots, broyée dans l'huile de tournesol. Plus digestible que l'ail en bulbe, elle donne une haleine beaucoup moins décapante. Elle peut toutefois être simplement remplacée par de l'ail.

225 g (½ lb) de beurre salé à température ambiante
3 c. à soupe de fleur d'ail
4 c. à soupe de tomates séchées hachées très finement

- Écraser le beurre avec la fleur d'ail et les tomates à l'aide d'une fourchette.
- Conserver au réfrigérateur.

SUGGESTION

- Tartiner des tranches de pain et les faire griller au four.
- Faire fondre doucement le beurre aromatisé et servir avec du homard.
- Ce beurre peut aussi servir à faire sauter des escargots ou des crevettes dans une poêle.

BEURRE À L'ÉRABLE D'AUTREFOIS

450 g (2 tasses)

225 g (½ lb) de beurre demi-sel à température ambiante
225 ml (1 tasse) de sirop d'érable à température ambiante

- Avec un malaxeur ou un fouet électrique, battre le beurre mou.
- Incorporer doucement, en filet, le sirop d'érable.
- Conserver au réfrigérateur.

BEURRE AU MIEL

400 g (1 ¾ tasse)

225 g (½ lb) de beurre demi-sel à température ambiante
175 ml (¾ tasse) de miel

- Suivre la recette du Beurre à l'érable d'autrefois.

BEURRE À L'HUILE D'OLIVE

Environ 400 g (1 ¾ tasse)

225 g (½ lb) de beurre non salé à température ambiante
175 ml (¾ tasse) d'huile d'olive première pression à froid
Sel de mer ou sel aromatisé au goût
NOTE : Il est possible de remplacer l'huile d'olive par d'autres huiles de qualité (carthame, tournesol, noix, etc.).

- Suivre la recette du Beurre à l'érable d'autrefois.

BEURRE AUX HERBES CITRONNÉES

300 g (1 ¼ tasse)

225 g (½ lb) de beurre doux ou demi-sel à température ambiante
3 c. à soupe de ciboulette hachée finement
3 c. à soupe de persil plat haché finement
3 c. à soupe de basilic frais haché finement
1 c. à soupe de zeste de citron haché très finement
2 c. à soupe d'huile d'olive au citron (ou régulière)

- Écraser le beurre avec les herbes et le zeste à l'aide d'une fourchette. Incorporer graduellement l'huile en fouettant.
- Conserver au réfrigérateur.

SUGGESTION

- Tartiner le pain avec le beurre aux herbes citronnées pour les sandwichs ou les tartines.
- Déposer un généreux morceau de beurre citronné sur une darne de saumon grillée chaude.

Beurre aux herbes citronnées

Huile aux poireaux

400 ml (1 3/4 tasse)

INGRÉDIENTS

- 3 tiges de poireaux (partie verte)
- 1 blanc de poireau
- 1 c. à soupe de sel de mer
- Environ 325 ml (1 1/2 tasse) d'huile d'olive première pression

PRÉPARATION

L'huile d'olive aromatisée aux poireaux accompagne parfaitement une baguette ou une fougasse à l'heure de l'apéritif. N'hésitez pas non plus à l'utiliser avec les pâtes, le poisson, sur des légumes ou dans un sandwich.

- Blanchir les poireaux 1 min dans l'eau bouillante salée.
- Rincer à l'eau froide et égoutter.
- Placer les poireaux dans des linges à vaisselle et les laisser refroidir 24 h au réfrigérateur.
- Les couper grossièrement et mesurer la quantité obtenue.
- Mesurer la même quantité d'huile qu'il y a de poireaux.
- Mettre les poireaux, l'huile et le sel dans un mélangeur ou au robot jusqu'à l'obtention d'un mélange liquide.
- Laisser macérer 1 ou 2 jours au réfrigérateur afin que l'huile soit bien aromatisée avant de s'en servir. L'huile se conserve 2 semaines au réfrigérateur.

CONFITURES ET TARTINADES SUCRÉES

J'avais toujours pensé que faire des confitures devait être une véritable corvée. Je me trompais. Cette activité, au contraire, est très agréable. Les recettes de confitures que je vous propose utilisent le moins possible de sucre afin de vous livrer toute leur nature. Pour cette raison, les confitures doivent être conservées dans le réfrigérateur et consommées à l'intérieur du temps indiqué. Certaines sont de saison, d'autres peuvent être faites tout au long de l'année.

Confiture de poires aux éclats de chocolat noir

Environ 1,25 litre (5 tasses)

INGRÉDIENTS

- 1 kg (2 lb) de poires Bartlett mûres (Williams)
- Le jus de 2 citrons verts
- 200 g (1 tasse) de sucre de canne non raffiné
- 80 g (3 oz) de chocolat noir 70 % cacao
- 2 c. à soupe d'alcool de poire au goût

PRÉPARATION

- Couper les poires en petits cubes. Enlever le cœur et conserver la peau.
- Verser le jus des citrons sur les poires et mélanger avec le sucre.
- Déposer le tout dans une poêle antiadhésive et cuire 25 min à feu moyen.
- Retirer les poires et laisser réduire le jus de 10 à 15 min jusqu'à l'obtention d'un liquide sirupeux.
- Remettre les poires dans le sirop obtenu.
- Ajouter l'alcool de poire au goût.
- Laisser refroidir.
- Hacher le chocolat en petits morceaux et l'ajouter une fois la confiture vraiment froide.
- Verser la confiture dans des pots. Se conserve au réfrigérateur 3 ou 4 semaines.

Confiture exotique aux ananas, aux mangues, à la noix de coco et au gingembre

Confiture exotique aux ananas, aux mangues, à la noix de coco et au gingembre

Environ 6 pots de 200 ml (environ 5 tasses)

INGRÉDIENTS

- 750 g (4 tasses) de mangues coupées en petits cubes (environ 3 grosses mangues)
- 750 g (4 tasses) d'ananas coupés en petits cubes (1 ananas moyen)
- 400 g (2 tasses) de sucre de canne
- 180 ml (3/4 tasse) de jus de citron vert
- 125 g (1 3/4 tasse) de copeaux de noix de coco frais ou séchés
- 1 1/2 c. à soupe de gingembre frais râpé très finement
- 1 c. à soupe d'essence de vanille naturelle

PRÉPARATION

- Dans une casserole à fond épais, mettre tous les ingrédients, sauf la vanille.
- Laisser mijoter à feu doux environ 1 h en remuant de temps à autre.
- Ajouter la vanille 15 min avant la fin.
- Se conserve au réfrigérateur 3 ou 4 semaines.

Confiture de fraises à la menthe et au poivre noir

500 ml (environ 2 tasses)

INGRÉDIENTS

- 1 kg (5 tasses) de fraises (de saison) bien mûres
- Le jus de 2 citrons verts
- 250 g (1 1/4 tasse) de sucre de canne
- 1/2 c. à café (1/2 c. à thé) de poivre noir frais moulu (mouture grosse)
- 1/2 c. à café (1/2 c. à thé) de poudre d'agar-agar
- 50 feuilles de menthe hachées très finement

PRÉPARATION

- Laver, équeuter et couper les fraises en quartiers.
- Déposer tous les ingrédients, sauf la menthe, dans une casserole à fond épais et faire bouillir 30 min.
- Diluer l'agar-agar dans 2 c. à soupe d'eau tiède et mélanger avec la confiture chaude.
- Ajouter la menthe 5 min avant la fin de la cuisson.
- Se conserve au réfrigérateur 3 ou 4 semaines.

SUGGESTION

- Déguster sur une baguette grillée au beurre ou sur de la crème glacée à la vanille.

NOTE

L'agar-agar s'utilise comme de la gélatine. D'origine végétale, il se fabrique à partir d'une algue et son pouvoir gélifiant est de 8 à 10 fois supérieur à celui de la gélatine. Il est aussi particulièrement riche en fer. J'utilise l'agar-agar pour donner du corps aux confitures lorsque les fruits utilisés contiennent peu de pectine naturelle. On peut l'acheter dans les magasins d'aliments naturels ou dans les épiceries asiatiques sous forme de poudre, de flocons ou de filaments. On peut aussi le remplacer par de la pectine et suivre les instructions sur la boîte.

Confiture de lait aux noisettes rôties

Environ 1 litre (4 tasses)

PRÉPARATION

INGRÉDIENTS

- 100 g (1 tasse) de noisettes en poudre (ou des noisettes entières, moulues avec le moulin à café)
- 2 litres (8 tasses) de lait entier (3,25 %)
- 800 g (4 tasses) de sucre de canne
- 2 c. à soupe de miel liquide
- 1 c. à soupe de vanille liquide
- 1 c. à café (1 c. à thé) de sel de mer

Cette confiture, très populaire en Amérique du Sud, serait née, par accident, au XIX*e siècle, dans l'armée napoléonienne. Au cours d'une bataille, un chef cuisinier aurait oublié d'arrêter le lait sucré qui servait de ration pour les soldats. Le mélange s'est ainsi transformé en une pâte onctueuse avec un petit goût de caramel tout à fait délicieux.*

On peut, sans se tromper, qualifier cette confiture de comfort food. *Ce concept anglo-saxon préconise la nourriture comme moyen de donner l'énergie suffisante pour affronter nos maux, nos troubles quotidiens, nos tristesses ou notre fatigue. En se faisant une bonne tartine de confiture de lait aux noisettes rôties, la machine repart. Et ça marche!*

- Préchauffer le four à 180 °C (350 °F).
- Griller la poudre de noisettes au four, de 10 à 15 min, en remuant pour l'uniformiser.
- Dans une casserole à fond épais, verser tous les ingrédients et porter doucement à ébullition en remuant constamment.
- Laisser réduire à feu doux de 2 ½ à 3 h.
- Arrêter la cuisson lorsque la consistance ressemble à celle du miel. Le lait aura réduit de moitié.
- Se conserve au réfrigérateur environ 6 mois.

Confiture de petits fruits sans sucre

500 ml (2 tasses)

PRÉPARATION

INGRÉDIENTS

- 600 g (6 tasses) de fruits congelés ou frais (mélange de fraises, de bleuets, de mûres et de framboises)
- 200 ml (3/4 tasse) de jus de pomme concentré congelé
- 1 c. à café (1 c. à thé) de poudre d'agar-agar
- 2 c. à soupe de jus de citron
- 3 c. à soupe de miel

- Faire mijoter les fruits et le concentré de jus de pomme 20 min à feu moyen.
- Dissoudre l'agar-agar dans le jus de citron. Ajouter 3 c. à soupe de confiture et bien mélanger pour éviter la formation de grumeaux.
- Incorporer ce mélange à la confiture et ajouter le miel.
- Se conserve au réfrigérateur 1 ou 2 semaines.

INGRÉDIENTS

- 650 ml (2 ⅔ tasses) d'eau
- 3 sachets de thé tchaï vert
- 2 oranges sans pépins
- 2 citrons verts
- 1 pamplemousse rose
- 1 citron
- 300 g (1 ½ tasse) de sucre de canne
- 1 ½ c. à café (1 ½ c. à thé) de poudre d'agar-agar
- 2 c. à soupe d'eau tiède

PRÉPARATION

Marmelade d'agrumes au tchaï

Environ 1 litre (4 tasses)

Le tchaï vient de l'Inde du Sud. Il est parfumé à la cardamome, au clou de girofle, au gingembre et à la cannelle. Un mélange d'épices très tonique qui se marie parfaitement avec les agrumes.

- Faire bouillir l'eau et infuser le thé environ 30 min, puis retirer les sachets.
- Laver soigneusement les agrumes et retirer les zestes en enlevant le plus possible la partie blanche très amère. Utiliser une râpe fine pour les zestes ou les hacher très finement.
- Découper la chair des agrumes en petits morceaux, en prenant soin de retirer les membranes coriaces et de récupérer le jus.
- Mettre le thé dans une casserole avec les morceaux de chair d'agrumes, les zestes, le jus et le sucre.
- Mijoter à feu moyen environ 45 min.
- Diluer l'agar-agar dans 2 c. à soupe d'eau tiède et mélanger avec la marmelade chaude. Cuire encore 5 min.
- Se conserve au réfrigérateur 3 ou 4 semaines.

Ganache au chocolat

Environ 500 ml (2 tasses)

Le succès de cette recette rapide à réaliser dépend en premier lieu de la qualité du chocolat. Il est donc primordial de choisir un bon chocolat et de regarder attentivement la liste des ingrédients qui le composent. Vérifier surtout que le sucre ne domine pas.

INGRÉDIENTS

- 225 ml (1 tasse) de crème fraîche liquide (crème 35 %)
- 225 g (8 oz) de chocolat noir en pastilles ou haché (de 55 % à 70 % de cacao)
- 60 g (1/4 tasse) de beurre non salé à température ambiante

PRÉPARATION

LA GANACHE

- Dans une casserole, chauffer la crème à feu moyen. Arrêter le feu avant l'ébullition.
- Mettre le chocolat dans un bol, verser la crème chaude et remuer doucement avec une cuillère de bois jusqu'à l'obtention d'une crème homogène.
- Ajouter le beurre et l'incorporer au chocolat en remuant.
- La ganache se conserve environ 1 semaine au réfrigérateur.

LES TARTINES

- Réchauffer légèrement la ganache pour la rendre facile à tartiner.
- Couper des tranches de pain minces (pain raisin-miel-noisettes, levain aux noix, viennois ou pain de tradition).
- Faire griller les tranches.
- Tartiner généreusement le pain chaud avec la préparation de chocolat.
- Garnir avec des tranches de bananes, de fraises ou de poires.
- Parsemer d'amandes ou de noisettes rôties.

VARIANTES

On peut se servir de la ganache pour tartiner, mais aussi pour faire :

DE LA FONDUE AU CHOCOLAT

- Mettre la ganache dans un bol à café au lait ou dans un bol épais. Ramollir en réchauffant au-dessus d'une casserole d'eau bouillante et y tremper les fruits.

DES TRUFFES

- Aromatiser la ganache avec un alcool à l'orange au goût. L'étendre dans un moule sur 2 cm (3/4 po) d'épaisseur et laisser refroidir. Couper des carrés et rouler dans de la poudre de cacao ou dans des amandes hachées et rôties.

Confiture de poires aux éclats de chocolat noir
Ganache au chocolat
Confiture de lait aux noisettes rôties

Compote de pommes et de poires au beurre à la vanille

Environ 750 ml (3 tasses)

INGRÉDIENTS

- 6 pommes épluchées et coupées en petits cubes (préférer les pommes Gala pour leur texture et leur goût)
- 6 poires Bartlett (William) épluchées et coupées en petits cubes
- Le jus et le zeste de 2 citrons verts râpés finement
- 120 g (1/2 tasse) de beurre
- 150 g (3/4 tasse) de sucre de canne
- 1 1/2 c. à café (1 1/2 c. à thé) de cannelle
- 300 ml (1 1/4 tasse) de jus de pomme + 3 c. à soupe de jus froid pour plus tard
- 2 gousses de vanille ou 3 c. à café (3 c. à thé) d'extrait de vanille
- 4 c. à café (4 c. à thé) de fécule de maïs

PRÉPARATION

- Mélanger les cubes de pommes et de poires avec le jus des citrons.
- Dans une grande poêle antiadhésive, faire fondre le beurre et le sucre.
- Ajouter les fruits, le zeste et la cannelle. Laisser cuire à feu moyen durant 20 min jusqu'à coloration.
- Ajouter le jus de pomme et les gousses de vanille fendues (ou l'extrait de vanille). Laisser bouillir 15 min.
- Vider les gousses de vanille avec un petit couteau pointu et remettre les graines dans le mélange.
- Diluer la fécule de maïs dans 3 c. à soupe de jus de pomme froid et ajouter à la préparation.
- Cuire encore 2 min pour épaissir la sauce.
- Laisser refroidir et réfrigérer.

SUGGESTION

- Servir la compote chaude sur du pain perdu (voir recette p. 131), sur des toasts ou telle quelle, en dessert.

Tartinade de beurre d'arachide et de miel

1 tartine

INGRÉDIENTS

- 4 c. à soupe de beurre d'arachide nature
- 2 c. à soupe de miel

PRÉPARATION

Il arrive que deux ingrédients, simplement combinés, créent des étincelles de saveurs en bouche. En voici un exemple.

- Dans un bol, mélanger le beurre d'arachide et le miel avec une fourchette.
- Tartiner un pain grillé.

Caramel au jus de pomme

Environ 300 ml (1 ¼ tasse)

INGRÉDIENTS

- 400 g (2 tasses) de sucre de canne
- 700 ml (2 ¾ tasses) de jus de pomme brut non filtré
- 100 ml (½ tasse) de crème fraîche liquide (crème 35 %)
- 2 c. à soupe de beurre salé

PRÉPARATION

- Dans une casserole à fond épais, cuire à feu moyen le sucre et 2 c. à soupe de jus de pomme jusqu'à l'obtention d'un caramel bien doré et odorant. Rester vigilant afin que le caramel ne brûle pas.
- Plonger la casserole dans un plat d'eau froide pour arrêter la cuisson le moment venu. Le caramel durcira en refroidissant.
- Ajouter le reste du jus de pomme dans le caramel. Remettre sur le feu et laisser réduire le tout à feu moyen environ 40 min en remuant quelques fois jusqu'à l'obtention d'une consistance ressemblant au miel. Le caramel, lorsqu'il est chaud, est d'apparence liquide. Pour vérifier sa consistance, verser 1 c. à soupe dans une assiette froide. Vérifier la température avec un thermomètre à bonbon. Le caramel est prêt lorsqu'il atteint 185 °C (365 °F).
- Ajouter la crème et cuire encore environ 15 min en remuant.
- Ajouter le beurre et remuer.
- Laisser refroidir et conserver au réfrigérateur environ 4 semaines.

SUGGESTION

- Ce caramel accompagne délicieusement le pain perdu (voir recette p. 131), la crème glacée et les toasts.

TARTINADES ET AUTRES ACCOMPAGNEMENTS

Lorsque l'on parle de tartinades et de pain, les yeux de nos convives s'illuminent et les estomacs se réjouissent. Les tartinades peuvent être servies de différentes façons : en canapé sur des tranches de pain grillées, en complément de la mayonnaise à l'intérieur d'un sandwich, en accompagnement d'une viande ou d'un poisson. On peut aussi servir les tartinades comme sur la photo ci-contre, c'est-à-dire : à l'apéro, on dépose un choix de tartinades sur la table avec des tranches fines de pain grillées au four et chaque personne compose son canapé.

Tapenade d'olives vertes et d'amandes

Environ 500 ml (2 tasses)

INGRÉDIENTS

- 120 ml (½ tasse) d'amandes entières
- 1 pot de 340 g (12 oz) d'olives vertes manzanilla farcies aux poivrons
- 1 c. à soupe de câpres
- 6 c. à soupe d'huile d'olive
- 2 pincées de cumin moulu
- 2 pincées de paprika
- Poivre du moulin

PRÉPARATION

- Griller les amandes au four et les réduire en poudre avec le robot culinaire.
- Ajouter les olives égouttées et les câpres.
- Broyer le tout en ajoutant l'huile en filet.
- Assaisonner avec le cumin, le paprika et le poivre.
- Verser dans un pot et conserver au réfrigérateur.

SUGGESTION

- Servir la tapenade sur des rondelles de baguette, ou encore avec des morceaux de confit de canard ou de poulet grillé.
- Sandwich de poitrine de poulet grillé, farci à la tartinade d'olives vertes et d'amandes (p. 87).

Tartinade d'olives et de noix de Grenoble

Environ 350 ml (1 ½ tasse)

INGRÉDIENTS

- 60 g (⅔ tasse) de noix de Grenoble hachées (de préférence des noix à écaler soi-même)
- 115 g (1 tasse) d'olives noires dénoyautées et égouttées (choisir des olives bien mûres et goûteuses)
- 2 branches de céleri hachées
- 150 g (⅔ tasse) de fromage à la crème (fromage blanc)
- 2 c. à soupe d'huile de noix
- Quelques gouttes de Tabasco

PRÉPARATION

- Faire griller les noix au four environ 15 min à 160 °C (320 °F).
- Broyer les noix refroidies au robot et ajouter le reste des ingrédients jusqu'à l'obtention d'une texture homogène.
- Verser dans un pot et conserver au réfrigérateur.
- Servir à l'apéritif sur du pain grillé ou en sandwich.

Sandwich de poitrine de poulet grillé, farci à la tartinade d'olives vertes et d'amandes

1 sandwich

INGRÉDIENTS

- 1 poitrine de poulet frais
- 2 c. à soupe de tapenade d'olives vertes (voir recette p. 84)
- Sel de mer, poivre du moulin et paprika
- 30 g (1 oz) de fromage de chèvre
- Huile d'olive
- 2 tranches de pain grillées
- Laitue (au goût)

PRÉPARATION

- Couper la poitrine en 2 sur l'épaisseur pour l'ouvrir puis la placer sur une plaque à pâtisserie huilée.
- Farcir avec la tapenade.
- Couvrir avec l'autre partie du poulet.
- Assaisonner généreusement.
- Préchauffer le four à 180 °C (350 °F).
- Cuire environ 20 min.
- Déposer le fromage de chèvre sur le poulet.
- Mettre sous le gril du four quelques minutes.
- Huiler les tranches de pain grillées.
- Déposer la poitrine farcie entre les 2 tranches de pain.
- Garnir avec la laitue.

Tartinade de poivrons rôtis et de concombre

Environ 500 ml (2 tasses)

INGRÉDIENTS

- 3 poivrons rouges
- ½ concombre anglais
- 120 ml (½ tasse) de vinaigre balsamique blanc (ou ordinaire)
- 2 oignons verts hachés finement
- 250 g (1 tasse) de fromage Quark 0,25 % de matières grasses (fromage frais écrémé)
- 125 g (½ tasse) de fromage à la crème (fromage blanc)
- ½ c. à café (½ c. à thé) de sel de mer
- Poivre du moulin

PRÉPARATION

- Couper les poivrons en 2 sur la longueur. Enlever les pépins et les placer sur une plaque à cuisson.
- Faire brûler la peau des poivrons dans le four, sous le gril. Une fois bien brûlés, les mettre dans un sac de plastique et le fermer. La condensation produite permettra d'enlever facilement la peau.
- Hacher finement la chair des poivrons et la réserver.
- Laver et couper le concombre sur la longueur et retirer les graines à l'aide d'une cuillère à café.
- Hacher ou râper le concombre finement. Saler et mélanger.
- Déposer les poivrons et le concombre sur plusieurs couches de papier absorbant.
- Laisser assécher environ 30 min (changer le papier si nécessaire).
- Dans une petite casserole, faire réduire le vinaigre balsamique jusqu'à l'obtention de 2 c. à soupe.
- Dans un bol, à l'aide d'une spatule, mélanger les oignons verts, les fromages, la réduction de balsamique, le concombre et les poivrons.
- Assaisonner de sel et de poivre.
- Conserver au réfrigérateur quelques heures avant de la manger.

SUGGESTION

- Servir en sandwich, entre 2 tranches de pain de grains grillées. Déposer quelques tranches minces de jambon sur beaucoup de tartinade de poivrons et de concombre. Garnir avec une généreuse quantité de germes (tournesol, luzerne, brocoli, asperges...).

Tartinade aux noix de pin et aux amandes, à base de pain au levain

Environ 300 ml (1 ¼ tasse)

INGRÉDIENTS

- 4 tranches de baguette au levain de 2 cm (1 po) d'épaisseur (restes de la veille)
- 60 g (⅔ tasse) d'amandes
- 60 g (⅔ tasse) de noix de pin
- 2 gousses d'ail pressées
- 2 c. à soupe d'eau chaude
- 2 c. à soupe de vinaigre de riz
- 60 ml (¼ tasse) de persil plat haché
- 1 pincée de sel de mer
- Poivre
- 3 c. à soupe d'huile d'olive pressée à froid

PRÉPARATION

- Couper le pain en cubes et les faire tremper 30 min dans 225 ml (1 tasse) d'eau.
- Égoutter le pain avec les mains pour obtenir environ 60 ml (¼ tasse) de pain compacté.
- Griller les amandes et les noix de pin au four de 15 à 20 min à 160 °C (320 °F).
- Mettre les amandes et les noix refroidies dans le bol du robot avec l'ail, l'eau chaude et le vinaigre.
- Réduire en pâte.
- Ajouter les cubes de pain, le persil haché, le sel et le poivre.
- Verser l'huile en filet pendant que le robot tourne pour obtenir une pâte qui s'étend facilement. Ajouter un peu d'eau chaude au besoin.

SUGGESTION

- Servir avec du pain grillé ou utiliser pour farcir des tomates cerises.

Tartinade de sardines au vinaigre de xérès

Environ 125 ml (½ tasse)

INGRÉDIENTS

- 1 boîte de 120 g (4 ½ oz) de sardines dans l'huile d'olive
- Le zeste de 1 citron vert haché très finement
- 1 c. à soupe de coriandre fraîche hachée
- 1 c. à soupe de vinaigre de xérès (ou de vinaigre de vin rouge ou balsamique)
- 1 c. à soupe d'oignon rouge haché très finement
- Tabasco (au goût)
- Poivre du moulin
- Sel de mer

PRÉPARATION

Souvent, je vois madame Colpron, la mère de Josée, se régaler d'une boîte de sardines et me dire, devant mon regard sceptique, qu'il n'y a rien de meilleur comme source d'oméga. Il m'a fallu du temps avant de prendre mon courage à deux mains et de m'y mettre. J'y ai, toutefois, apporté une petite note personnelle.

- Défaire les sardines en enlevant l'arête.
- Ajouter tous les ingrédients y compris l'huile des sardines et piler à la fourchette.
- Laisser mariner quelques heures au réfrigérateur.

SUGGESTION

- Tartiner des rondelles de baguette de tapenade (voir recette p. 86). Ajouter une cuillerée de la préparation et servir en canapé.

Bruschetta de fruits de mer au curry vert et au lait de coco

Environ 700 ml (environ 3 tasses)

INGRÉDIENTS

- 225 g (½ lb) de crevettes crues surgelées
- 225 g (½ lb) de petits calmars surgelés
- 2 pincées de gros sel de mer
- 1 poivron rouge en dés de 1 cm (½ po)
- 1 petite courgette en dés de 1 cm (½ po)
- 2 oignons verts hachés
- 1 c. à soupe d'huile d'olive
- 120 ml (½ tasse) de lait de coco en boîte
- 2 c. à café (2 c. à thé) de pâte de curry vert
- 1 mangue ferme en dés de 1 cm (½ po)
- Le jus de 1 citron vert

NOTE

La pâte de curry vert est un condiment d'origine thaïlandaise plutôt piquant. Elle est habituellement composée de piment fort, de poivrons verts, d'huile de soya, d'oignons rouges, d'ail, de galanga (famille du gingembre), de citronnelle, de pâte de crevettes, d'écorce de limette et de graines de persil. Les recettes peuvent changer selon les fabricants. Je suggère 1 c. à café (1 c. à thé) pour un goût légèrement piquant, 2 c. à café (2 c. à thé) pour un goût moyennement piquant et 3 c. à café (3 c. à thé) pour un goût très piquant.

PRÉPARATION

- Dans une poêle, cuire les crevettes encore congelées avec une pincée de gros sel environ 2 min de chaque côté. Les décortiquer et les couper en tronçons de 1 cm (½ po).
- Réserver dans un bol.
- Dans une poêle, cuire les calmars encore congelés environ 5 min avec une pincée de gros sel.
- Les couper en morceaux de même grosseur que les crevettes.
- Réserver dans le bol avec les crevettes coupées.
- Dans une poêle, faire sauter le poivron, la courgette et les oignons verts 5 min avec l'huile d'olive.
- Diluer le curry vert dans le lait de coco, et verser sur les légumes.
- Ajouter la mangue et le jus de citron vert.
- Cuire 5 min en remuant afin de réduire l'excédent d'eau.
- Incorporer les fruits de mer en dernier.
- Conserver au réfrigérateur.

SUGGESTION

- Servir la bruschetta avec des croûtons de pain ou en sandwich avec du fromage ricotta et un mélange de feuilles de salade.

Bruschetta de champignons à l'ail au vin blanc

Environ 225 ml (1 tasse)

PRÉPARATION

- Mélanger les champignons et le jus de citron.
- Dans une poêle antiadhésive, faire sauter l'ail et les champignons dans le beurre et l'huile jusqu'à ce qu'ils aient réduit environ de moitié.
- Ajouter l'oignon vert, le vin et le vinaigre. Laisser cuire à feu doux jusqu'à ce que le liquide soit complètement évaporé. Assaisonner de sel et de poivre.
- Vider la poêle sans la nettoyer*.
- Conserver au réfrigérateur.
- Servir la bruschetta sur des tranches de baguette gratinées avec du fromage à raclette ou un autre de votre choix et garnir le tout d'une feuille de basilic.

* Pour une petite gourmandise complètement délirante : faire fondre des tranches de mozzarella directement dans la poêle ayant servi à faire sauter les champignons. Les arômes y sont encore très présents. Laisser le fromage faire une petite croûte dans le fond de la poêle. Avec les tranches de baguette, ramasser le fromage.

INGRÉDIENTS

- 340 g (12 oz) de champignons portobellos hachés très finement
- Le jus de ½ citron
- 2 gousses d'ail hachées très finement
- 1 c. à soupe de beurre
- 1 c. à soupe d'huile d'olive
- 1 oignon vert haché finement
- 120 ml (½ tasse) de vin blanc
- 1 c. à soupe de vinaigre balsamique
- 1 pincée de sel de mer
- Poivre du moulin

Tartinade de truite à l'estragon (à base de pain)

Environ 450 g (1 lb)

PRÉPARATION

- Dans une casserole, déposer le poisson dans 300 ml (1 ¼ tasse) d'eau froide avec l'oignon, la moitié des branches d'estragon, le céleri, le sel et le poivre.
- Couvrir et porter à ébullition. Réduire la température et laisser mijoter 10 min.
- Retirer le poisson du bouillon et y faire tremper les cubes de pain 15 min.
- Enlever la peau du poisson et déposer la chair dans le bol du robot avec les feuilles d'estragon restantes, le jus et le zeste des citrons.
- Pressez les cubes de pain entre les mains et les mettre dans le bol du robot.
- Mélanger à vitesse maximale en incorporant environ 100 ml (½ tasse) de bouillon et l'huile en filet. Rectifier l'assaisonnement.
- Laisser refroidir quelques heures au réfrigérateur avant de servir.

SUGGESTION

- Servir à l'apéritif avec des chips de pita ou des fines tranches de pain intégral grillées.

INGRÉDIENTS

- 300 g (10 ½ oz) de truite ou de saumon frais
- 300 ml (1 ¼ tasse) d'eau froide
- 1 petit oignon
- 8 petites branches d'estragon frais
- 2 branches de céleri avec les feuilles hachées
- 1 c. à café (1 c. à thé) de sel de mer
- Poivre du moulin
- 2 tranches de pain de mie rassis coupées en cubes
- Le zeste de ½ citron vert bien lavé et haché très finement
- Le jus de 2 citrons verts
- 6 c. à soupe d'huile d'olive

Caviar d'algues

300 ml (1 ¼ tasse)

INGRÉDIENTS

- 20 g (¾ tasse) d'algues séchées aramé ou hijiki
- 20 g (¾ tasse) d'algues séchées dulse (petits goémons)
- Eau tiède
- 1 échalote hachée finement
- 2 c. à soupe de persil haché
- 2 c. à soupe de sauce tamari
- 2 c. à soupe d'huile d'olive
- 1 c. à soupe d'huile de sésame rôtie
- 1 c. à soupe de vinaigre de riz
- 2 petites carottes râpées finement
- 1 pincée de sel de mer au goût
- 3 branches de menthe fraîche hachées au goût

PRÉPARATION

Les algues, aussi appelées légumes de mer, sont riches en protéines, en minéraux (calcium et iode) et en vitamines A, B et C.

- Dans un bol de verre, déposer les algues et les recouvrir d'eau tiède pendant 20 min.
- Mélanger ensemble les ingrédients de la marinade : échalote, persil, tamari, huiles et vinaigre.
- Égoutter les algues et les hacher en petits morceaux. Mettre dans un bol et mélanger avec le reste des ingrédients. Laisser mariner toute la nuit au réfrigérateur.

SUGGESTION

- Servir avec du pain aux graines de lin grillé tartiné de fromage.
- Utiliser pour garnir un sandwich au saumon.

Caviar d'aubergines à l'ail confit

300 ml (1 ¼ tasse)

INGRÉDIENTS

- 2 grosses aubergines
- 4 bulbes d'ail entiers
- 6 c. à soupe d'huile d'olive
- 3 c. à soupe de tahini (beurre de sésame)
- Le zeste fin et le jus de 1 citron vert
- 1 c. à café (1 c. à thé) de cumin moulu
- 1 c. à café (1 c. à thé) de sel de mer
- 5 gouttes de Tabasco

NOTE

Le caviar d'aubergines sera meilleur le lendemain, car les saveurs auront eu le temps de se mélanger.

PRÉPARATION

- Préchauffer le four à 190 °C (375 °F).
- Perforer les aubergines à plusieurs endroits à l'aide d'un couteau pointu et les déposer entières sur une plaque à cuisson.
- Couper le dessus des bulbes d'ail et les envelopper dans du papier d'aluminium avec 1 c. à soupe d'huile d'olive pour chaque bulbe.
- Cuire l'ail et les aubergines dans le four, sur la grille du centre, environ 45 min jusqu'à ce que les aubergines s'affaissent. Laisser tiédir.
- Couper les aubergines en deux et gratter la chair à l'aide d'une cuillère à soupe.
- Ouvrir les papillotes d'ail puis récupérer l'huile et l'ail confit.
- Faire revenir la chair des aubergines et la purée d'ail environ 10 min dans une poêle antiadhésive avec un filet d'huile d'olive afin d'évaporer le surplus d'eau et de caraméliser les sucres naturels des aubergines.
- Mettre tous les ingrédients dans le bol du robot et broyer pour former une purée. Verser dans un pot et conserver au réfrigérateur.

SUGGESTION

- Servir à l'apéritif avec un trait d'huile d'olive, du persil haché et des croûtons de pain ou dans un sandwich avec des légumes grillés.

Terrine de Virginie

Environ 1 kg (2 lb) · Pour un moule de 20 cm x 15 cm (8 po x 6 po)

INGRÉDIENTS

- 1 gros oignon haché
- 2 gousses d'ail
- 500 g (environ 1 lb) d'épaule de porc en cubes
- 500 g (environ 1 lb) d'épaule de veau en cubes
- 2 c. à café (2 c. à thé) de sel de mer
- ½ c. à café (½ c. à thé) de poivre
- 3 pincées de gingembre moulu
- 1 pincée de clou de girofle moulu
- 2 pincées de muscade moulue
- 1 sachet de gélatine
- 1 boîte de 284 ml (10 oz) de consommé de bœuf

PRÉPARATION

Cette terrine est une vieille recette du terroir québécois qui a été transmise, il y a une quarantaine d'années, sur les ondes de la radio. Depuis, elle est devenue un incontournable mets de Noël dans ma famille. Une fois par an, nous savourons précieusement les instants où nous la partageons sur le coin du comptoir, avec du bon pain de campagne, quelques crudités et un bout de fromage.

- Préchauffer le four à 165 °C (325 °F).
- Dans une casserole, mettre tous les ingrédients, sauf la gélatine et le consommé de bœuf. Couvrir la viande d'eau froide et faire mijoter 30 min à feu moyen.
- Après la cuisson, séparer le liquide du solide.
- Réserver le jus de cuisson.
- Broyer la viande cuite au hachoir à viande ou au robot par impulsion (ne pas faire de purée).
- Huiler un moule puis étendre la viande.
- Arroser avec un peu plus de la moitié du jus de cuisson et réserver le reste.
- Cuire à four chaud environ 2 h.
- Vérifier en cour de cuisson que la terrine reste légèrement humide. Ajouter du jus de cuisson si nécessaire.
- Faire fondre la gélatine dans le consommé de bœuf chaud.
- Sortir la terrine du four et la laisser reposer 10 min. Piquer la viande à l'aide d'une fourchette à plusieurs endroits.
- Verser le consommé et laisser refroidir 6 h au réfrigérateur avant de démouler.
- La terrine se congèle très bien.

Cretons de veau et de porc à l'ancienne

Environ 700 g (1 ½ lb)

INGRÉDIENTS

- 225 ml (1 tasse) de lait
- 2 tranches de pain de mie coupées en cubes (utiliser du pain rassis de préférence)
- 1 gros oignon haché très finement
- 250 g (environ ½ lb) de veau haché maigre
- 250 g (environ ½ lb) de porc haché maigre
- 1 ½ c. à café (1 ½ c. à thé) de sel de mer
- 1 c. à café (1 c. à thé) de poivre noir ou de mélange de 5 poivres broyés
- ¼ c. à café (¼ c. à thé) de clou de girofle moulu

PRÉPARATION

- Dans un bol, verser le lait sur les cubes de pain.
- Dans une casserole, faire rissoler à feu moyen l'oignon et la viande environ 10 min et ajouter le reste des ingrédients, y compris le pain.
- Brasser vigoureusement avec une cuillère de bois pour défaire le pain.
- Cuire à feu doux environ 1 h.
- Verser dans 4 petits pots et réfrigérer.
- Les cretons se congèlent très bien.

Cretons végétariens aux lentilles

Environ 500 g (1 ¼ lb)

INGRÉDIENTS

- 180 ml (¾ tasse) de lentilles brunes crues
- 120 ml (½ tasse) d'oignons hachés finement
- 1 gousse d'ail hachée ou pressée
- 2 c. à soupe d'huile d'olive
- 2 c. à soupe de sauce tamari
- 1 c. à soupe de levure alimentaire Engevita
- 500 ml (2 tasses) d'eau
- ½ c. à café (½ c. à thé) de sel de mer
- ¼ c. à café (¼ c. à thé) de clou de girofle moulu
- ¼ c. à café (¼ c. à thé) de cannelle

PRÉPARATION

Cette recette me vient de Madeleine, une excellente naturopathe qui m'a fait découvrir ces cretons végétariens. J'ai été tellement renversé par leur texture et leur goût que je lui ai demandé si je pouvais publier sa recette. Je la remercie vivement de vous laisser la découvrir.

- Moudre grossièrement les lentilles au moulin à café ou au robot.
- Dans une grande poêle, faire revenir les oignons, l'ail et les lentilles dans l'huile d'olive.
- Ajouter le tamari, la levure et l'eau.
- Cuire environ 15 min en remuant. Au besoin, ajouter un peu d'eau si la composition est trop épaisse. Attention de ne pas trop cuire, car la texture doit ressembler à celle des cretons.

NOTE

La levure Engevita est un supplément alimentaire en vente dans les magasins d'alimentation naturelle. Elle est très riche en vitamines B (sauf la B12), en protéines et en minéraux.

Mousse de foie de volaille au vermouth de pomme

Environ 500 ml (2 tasses)

INGRÉDIENTS

- 500 g (17 ½ oz) de foies de poulet
- 3 c. à soupe de gros sel de mer
- 3 c. à soupe de beurre
- 5 échalotes françaises (grises) hachées finement
- 1 pomme Granny Smith, épluchée et tranchée en fines lamelles
- 4 c. à soupe de vermouth de pomme (ou de calvados)
- 1 pincée de sel de mer
- Poivre du moulin
- 80 g (⅓ tasse) de beurre doux

PRÉPARATION

La pomme se marie parfaitement avec le foie de volaille. Elle donnera à la mousse une texture fondante et délicate tout en enlevant l'amertume qu'on retrouve souvent dans les recettes de ce type.

À FAIRE LA VEILLE AFIN QUE LES SAVEURS AIENT LE TEMPS DE SE DÉVELOPPER

- Nettoyer les foies en enlevant les membranes et la graisse.
- Rincer à l'eau froide.
- Les déposer dans un récipient en verre ou en plastique. Couvrir d'eau et ajouter le sel. Bien mélanger puis couvrir et laisser dégorger 3 h au réfrigérateur.
- Rincer abondamment à l'eau froide pour dessaler.
- Égoutter et assécher les foies.
- Dans une poêle, fondre le beurre et faire sauter les échalotes, les foies et la pomme. Cuire 5 min en remuant.
- Ajouter le vermouth, saler et poivrer. Cuire encore 5 min.
- Verser le tout dans le bol du robot culinaire. Broyer à haute vitesse en incorporant graduellement le beurre doux jusqu'à l'obtention d'une texture lisse et homogène.
- Rectifier l'assaisonnement si nécessaire.
- Verser la mousse dans de petits moules et réfrigérer.

Végépâté

Pour un moule de 15 cm x 15 cm (6 po x 6 po)

PRÉPARATION

- Préchauffer le four à 180 °C (350 °F).
- Moudre les graines de tournesol et de sésame avec un moulin à café ou au robot.
- Dans une poêle, faire revenir les légumes avec un peu d'huile, pour les colorer légèrement.
- Dans un bol, mélanger tous les ingrédients en éliminant les grumeaux.
- Étendre la préparation dans un moule sur une épaisseur d'environ 3,5 cm (1 ½ po).
- Cuire 1 h.
- Laisser refroidir avant de démouler.

INGRÉDIENTS

- 120 g (3/4 tasse) de graines de tournesol
- 120 g (3/4 tasse) de graines de sésame
- 1 carotte râpée
- 1 patate douce râpée
- 2 c. à soupe d'huile d'olive
- 80 g (1/2 tasse) de farine entière (kamut, blé ou épeautre)
- 40 g (1/4 tasse) de levure alimentaire Engevita
- 2 oignons émincés
- 2 c. à soupe de jus de citron
- 125 ml (1/2 tasse) d'huile de tournesol ou d'huile d'olive
- 210 ml (1 1/4 tasse) de bouillon de légumes
- 1 1/2 c. à café (1 1/2 c. à thé) de sel de mer
- 2 c. à soupe de sauce tamari
- 1 c. à café (1 c. à thé) de thym
- 1 c. à café (1 c. à thé) de paprika
- 1/2 c. à café (1/2 c. à thé) de sauge

Tartine de végépâté et de salsa verde

1 portion

PRÉPARATION

- Dans un bol, mélanger le fromage, le yogourt, les cubes de poivron, le sel et le poivre avec une fourchette.
- Étendre la préparation sur le pain grillé.
- Mettre les tranches de végépâté sur la tartine.
- Ajouter la salsa verde, la coriandre et le poivron en julienne.

INGRÉDIENTS

- 2 c. à soupe de fromage à la crème (fromage blanc)
- 2 c. à soupe de yogourt nature
- 3 c. à soupe de poivron rouge coupé en très petits cubes
- 1 pincée de sel de mer
- Poivre du moulin
- 1 grande tranche de pain de seigle grillé (ou autre pain)
- 75 g (2 1/2 oz) de végépâté coupé en petites tranches
- 3 c. à soupe de salsa verde (sauce mexicaine à base de tomates vertes, légèrement piquante et acidulée, achetée dans le commerce)
- 2 c. à soupe de coriandre fraîche hachée
- 1/4 poivron rouge coupé en julienne

Je vous propose ici quelques recettes faites à partir de fromages. Additionnés d'épices et d'herbes fraîches, ces fromages de chèvre, de brebis ou de vache se prêtent merveilleusement bien aux tartinades. Ils font merveille dans les sandwichs, dans les salades ou sur une pizza. Ils peuvent aussi fondre doucement sur les grillades au barbecue.

Labneh aux zestes d'agrumes et au piment fort

Environ 375 g (1 ½ tasse)

INGRÉDIENTS

- 750 g (3 tasses) de yogourt ferme
- Le zeste de 1 orange bien lavée
- Le zeste de 1 citron vert bien lavé
- 1 à 2 c. à café (1 à 2 c. à thé) de piment fort haché très finement
- 1 c. à café (1 c. à thé) de sel de mer
- 8 branches de persil plat hachées
- 15 feuilles de menthe hachées
- 6 c. à soupe d'huile d'olive première pression à froid

NOTE

Si le labneh est trop mou pour former des boules, mettre un linge à vaisselle propre plié en deux ou trois dans une assiette. Déposer des cuillerées de labneh sur le linge et laisser égoutter à nouveau au réfrigérateur.

PRÉPARATION

Originaire du Liban, le labneh est un yogourt égoutté. Il est frais et contient peu de matières grasses. On peut l'acheter dans les épiceries spécialisées, mais je vous suggère de le faire vous-même, car les ingrédients se trouvent facilement et la recette est simple à réaliser.

- Dans un bol, mélanger le yogourt, les zestes, le piment et le sel.
- Couvrir une passoire avec un linge propre.
- Déposer la passoire sur un bol profond et verser le mélange de yogourt pour qu'il s'égoutte. Rabattre les côtés du linge et laisser égoutter 24 h au réfrigérateur.
- Vérifier de temps à autre que le fond de la passoire ne baigne pas dans l'eau.
- Une fois le yogourt bien égoutté, racler le labneh obtenu avec une spatule et former des petites boules.
- Les déposer dans une assiette et couvrir avec les herbes hachées. Arroser d'huile d'olive.

SUGGESTION : POUR SANDWICH À LA DINDE ET AU LABNEH

- Dans une poêle, réchauffer des tranches ou des morceaux de dinde avec une goutte d'huile. Dans la même poêle, faire sauter 1 carotte râpée. Sur du pain de grains préalablement grillé, étendre une généreuse couche de labneh et garnir le sandwich avec la dinde et la carotte encore chaudes. Ajouter quelques feuilles de laitue.

Panir à la coriandre et aux graines de cumin

INGRÉDIENTS

- 1 litre (4 tasses) de lait entier
- Le jus de 3 citrons verts
- 1 c. à soupe de graines de cumin broyées
- Poivre du moulin
- 5 à 6 branches de coriandre fraîche hachée
- Fleur de sel ou sel de mer
- 4 c. à soupe d'huile d'olive

PRÉPARATION

Panir à la coriandre et aux graines de cumin

4 portions

Le panir, d'origine indienne, est un « caillé » assaisonné et servi chaud. J'ai appris à faire le panir au cours d'une formation de cuisine ayurvédique. Ce que je retiens avant tout de cette cuisine issue d'une tradition vieille de plus de 5000 ans, c'est l'importance que les Indiens accordent à la fraîcheur et à l'authenticité des aliments qu'ils cuisinent. Ils harmonisent et équilibrent les mets avec art, en ajoutant des épices, qu'ils considèrent comme des aliments médicinaux. Vous pouvez assaisonner le panir avec les herbes fraîches de votre choix.

- Dans une casserole d'inox à fond épais, porter le lait à ébullition à feu moyen.
- Le retirer du feu et verser lentement le jus de citron en remuant doucement jusqu'à la séparation du panir (caillé) et du petit-lait (liquide jaune clair).
- Verser la préparation dans une passoire tapissée d'un linge propre.
- Laisser le panir s'égoutter quelques minutes.
- Refermer le linge et presser pour obtenir une pâte plus ferme.
- Chauffer une poêle antiadhésive à feu doux avec l'huile d'olive et y déposer le panir en galette avec le cumin, le poivre et la coriandre.
- Laisser cuire doucement 3 min de chaque côté. Saler et servir chaud sur du pain.

SUGGESTION

- Ajouter un peu d'huile de noix au goût.

Petites boules de chèvre aux noix et aux épices cajun

4 portions

PRÉPARATION

- Faire des petites boules avec le fromage.
- Mettre les noix et les épices dans une assiette.
- Rouler les boules de fromage dans les noix et les épices cajun de façon à les incruster sur toute la surface des boules.
- Déposer les boules dans un contenant et arroser avec les huiles.
- Laisser macérer au réfrigérateur 1 ou 2 jours.

SUGGESTION

- Déguster sur des croûtons ou sur une fougasse aux olives.
- Servir en entrée sur un lit de salade avec des tranches fines de pain à mie dense grillées (de farine intégrale ou de kamut).

INGRÉDIENTS

- 250 g (9 oz) de fromage de chèvre frais
- 100 g (1 tasse) de noix de Grenoble écrasées ou hachées
- 4 c. à soupe d'épices cajun
- 120 ml (½ tasse) d'huile d'olive
- 2 c. à soupe d'huile de noix

NOTE

Le mélange d'épices cajun se trouve habituellement déjà préparé dans les épiceries. Il se compose d'ail, d'oignon, de paprika, de poivre noir, de cumin, de poudre de moutarde, de poivre de Cayenne, de thym et d'origan.

Petites boules de chèvre à la grappa

4 portions

PRÉPARATION

- Faire des petites boules avec le fromage et déposer dans un contenant non métallique.
- Laisser macérer 1 ou 2 jours avec le reste des ingrédients.

SUGGESTION

- Servir le fromage à température ambiante avec du pain grillé. L'accompagner d'olives passées à la poêle quelques minutes avec un filet d'huile, de l'ail, du basilic et de l'origan séché.
- Tartiner généreusement un pain ciabatta avec le mélange de chèvre. Ajouter des tranches de prosciutto et des lanières de cœur de palmier.

INGRÉDIENTS

- 250 g (9 oz) de fromage de chèvre frais
- 2 c. à soupe de grappa (ou d'eau-de-vie au goût)
- 3 à 4 c. à soupe de persil plat haché au goût
- 1 à 2 gousses d'ail pressées
- 125 ml (½ tasse) d'huile d'olive première pression à froid
- 2 pincées de fleur de sel ou de sel de mer
- Poivre du moulin

Petites boules de chèvre à la grappa
Petites boules de chèvre aux noix et aux épices cajun

INGRÉDIENTS

- 450 ml (2 tasses) de cidre de pomme sec
- 1 gousse d'ail hachée finement
- 300 g (10 oz) de cheddar doux râpé
- 300 g (10 oz) de jarlsberg râpé
- 300 g (10 oz) de gruyère suisse râpé
- 1 1/2 c. à soupe de fécule de maïs
- 2 c. à soupe de calvados ou de brandy
- 1/4 c. à café (1/4 c. à thé) de poivre du moulin

PRÉPARATION

Fondue aux trois fromages et au cidre

4 portions pour une entrée

Voici une recette de fondue au fromage très intéressante. Douce grâce au cheddar, acidulée par le cidre, fruitée avec le jarlsberg et teintée d'une pointe de caractère par le gruyère, cette fondue risque d'être réclamée régulièrement l'hiver par votre famille ou vos amis.

- Dans un caquelon à fondue, chauffer à feu doux le cidre avec l'ail.
- Incorporer les fromages en remuant continuellement avec une cuillère de bois sans faire bouillir.
- Dans un bol, dissoudre la fécule dans le calvados et incorporer le tout aux fromages fondus en remuant vigoureusement. La fondue deviendra homogène.
- Conserver la fondue à feu très doux jusqu'au service (ne pas préparer trop longtemps à l'avance).

SUGGESTION

- Servir avec 3 ou 4 variétés de pains : fougasse aux olives, pains aux noix et pains de grains accompagnent très bien la fondue. Et pourquoi pas des brocolis?
- Le lendemain, servir les restants de fondue en croque-monsieur. En tartiner une tranche de pain. Ajouter des cubes de jambon, des oignons verts et passer le tout sous le gril du four.

CROQUES ET SANDWICHS

De bons ingrédients, du bon pain et des idées... De quoi faire des sandwichs qui sortent de l'ordinaire. J'ai un penchant pour les croques : cette tartine à l'allure rustique, souvent gratinée, facile à réaliser et qui plaît à tous.

Croque-monsieur jambon et fromage

1 portion

INGRÉDIENTS

- 2 tranches de pain de campagne beurrées
- 2 tranches de jambon blanc
- 4 c. à soupe de sauce béchamel (voir recette ci-dessous)
- 2 c. à soupe de persil haché
- 50 g (½ tasse) de fromage emmental râpé
- 1 pincée de paprika

PRÉPARATION

- Préchauffer le four à 200 °C (400 °F).
- Préparer la béchamel.
- Placer le jambon sur une des tranches de pain.
- Ajouter 2 c. à soupe de béchamel et le persil.
- Fermer le croque avec l'autre tranche de pain.
- Étendre 2 c. à soupe de béchamel, le fromage et le paprika.
- Cuire au four jusqu'à coloration, environ 15 min. Passer sous le gril pour terminer la cuisson.

VARIANTE

Ajouter des champignons sautés, des poivrons rouges coupés en fines lamelles, des oignons tranchés très fins, etc.

Sauce béchamel au fromage

350 ml (1 ½ tasse)

INGRÉDIENTS

- 2 c. à soupe de beurre
- 1 ½ c. à soupe de farine
- 300 ml (1 ⅓ tasse) de lait
- Sel et poivre
- 80 g (¾ tasse) de gruyère râpé

PRÉPARATION

- Dans une casserole, faire fondre le beurre à feu doux.
- Ajouter la farine et brasser avec une cuillère en bois jusqu'à l'obtention d'un mélange uni et jaune pâle (sans mousse).
- Verser le lait et porter à ébullition en remuant jusqu'à épaississement.
- Saler, poivrer et laisser mijoter à très petit feu de 15 à 20 min.
- Ajouter le fromage en fin de cuisson et mélanger pour le faire fondre.
- Laisser refroidir.

Croque « à la provençale » et salade jardinière au yogourt

4 portions

PRÉPARATION

Petit, j'attendais impatiemment le souper du jeudi, qu'on appelait « le soir des touski » pour « tout ce qui » reste dans le réfrigérateur. Sautant sur la seule occasion de la semaine pour me préparer un souper digne de mon imagination, je me créais d'énormes sandwichs que j'appelais « à la provençale », ayant entendu ce mot à la télévision, dans une émission de cuisine. Je ne savais absolument pas ce qu'il voulait dire, mais je trouvais que ça avait de la classe. Voici une recette de croque qui n'a de provençal que le nom! Laissez aller votre imagination et créez vos propres sandwichs aux « touski ».

- Couper la focaccia en 2 sur l'épaisseur.
- Réserver la partie supérieure du pain pour le service.
- Étendre l'huile d'olive et la moutarde sur la base du pain.
- Préchauffer le four à 220 °C (430 °F).
- Étaler les ingrédients en étages successifs dans l'ordre d'énumération de la liste.
- Aplatir le tout avec la main (ne pas couvrir avec la partie supérieure du pain).
- Cuire de 10 à 15 min jusqu'à ce que les ingrédients commencent à griller.
- Couvrir avec le morceau de pain qui reste et couper en pointes.

INGRÉDIENTS

- 1 focaccia aux herbes (voir recette Focaccia aux herbes de Provence p. 41) ou une miche de pain de 20 cm (8 po) de diamètre
- 3 c. à soupe d'huile d'olive
- 2 à 3 c. à soupe de moutarde de Dijon
- 8 tranches de rôti de porc
- 8 tranches de dinde
- 8 tranches de rôti de bœuf
- 16 tranches minces de poivrons rouges et verts
- 8 tranches de fromage à raclette
- 12 tranches minces de saucisson allemand
- 8 tranches minces de tomates
- 8 tranches minces d'oignon rouge

PRÉPARATION

SALADE JARDINIÈRE AU YOGOURT

- Dans un saladier, mélanger tous les ingrédients.
- Conserver au réfrigérateur avant de servir.

INGRÉDIENTS

- 250 g (2 tasses) de carottes coupées en rondelles minces
- 250 g (2 tasses) de chou-fleur coupé en petits bouquets
- 250 g (2 tasses) de brocoli coupé en petits bouquets
- 80 g (1/3 tasse) de yogourt
- 80 g (1/3 tasse) de mayonnaise maison ou du commerce
- 1 c. à soupe d'origan
- 1 c. à soupe de basilic
- Sel de mer et poivre du moulin

Croque-jambon César

1 portion

INGRÉDIENTS

- 1 tranche de pain de campagne ou de pain aux olives
- 3 c. à soupe de sauce salade César (voir recette ci-dessous)
- 4 tranches de jambon minces
- 4 tranches de tomate coupées finement
- Poivre frais moulu
- 1 pincée d'origan séché
- 1 c. à soupe de fromage parmesan râpé

PRÉPARATION

- Étendre la moitié de la sauce César sur la tranche de pain.
- Ajouter le jambon, la tomate et le reste de sauce.
- Assaisonner de poivre, d'origan et de parmesan.
- Passer sous le gril du four jusqu'à coloration.

Croque pissaladière

1 portion

Voici un croque aux arômes provençaux. Servir en bouchées pour un cocktail ou comme accompagnement avec un plat de pâtes.

INGRÉDIENTS

- 1 tranche de pain aux olives (ou de pain de campagne)
- 3 c. à soupe de sauce tomate* (voir recette ci-dessous)
- 4 tranches de tomate minces
- Sel et poivre
- 1 pincée d'herbes de Provence
- 8 olives noires tranchées
- 3 filets d'anchois
- 1 oignon tranché finement et sauté à la poêle

PRÉPARATION

- Garnir le pain avec les ingrédients dans l'ordre d'énumération.
- Passer le croque sous le gril du four jusqu'à coloration.

SAUCE SALADE CÉSAR

4 portions

1 gousse d'ail écrasée
1 c. à café (1 c. à thé) de moutarde de Dijon
6 gouttes de sauce Worcestershire
2 c. à soupe de fromage parmesan râpé
1 c. à soupe de câpres
2 c. à soupe de jus de citron
1 œuf
1/2 c. à café (1/2 c. à thé) de sel de mer
Poivre du moulin au goût
1 petite pincée d'origan
1 petite pincée de basilic
190 ml (3/4 tasse) d'huile d'olive

- Dans un mélangeur, mettre tous les ingrédients, sauf l'huile.
- Actionner le mélangeur et verser l'huile en un mince filet.

SAUCE TOMATE

6 portions

200 g (7 oz) de pâte de tomates
4 c. à soupe d'huile d'olive
3 c. à soupe de vinaigre balsamique
2 gousses d'ail hachées (au goût)
1 c. à soupe de basilic
1 c. à café (1 c. à thé) de sel de mer
1/2 c. à café (1/2 c. à thé) de poivre noir

- Mélanger tous les ingrédients avec un fouet.
- Préparer à l'avance pour laisser le temps aux saveurs de bien se répartir dans la sauce.

Suggestion

Se servir de cette base de sauce pour créer vos propres croques.

- Saucisson, mozzarella et courgettes
- Jambon, olives et fromage
- Chèvre, artichauts, tomates et herbes
- Fromage, champignons, bacon et oignons

Baguette bolognaise

4 portions

INGRÉDIENTS

- 1 baguette
- 2 c. à soupe d'huile d'olive
- 225 ml (1 tasse) de sauce à spaghetti maison ou du commerce
- 200 g (1 ½ tasse) de fromage mozzarella râpé
- 40 g (¼ tasse) de parmesan râpé
- 1 poivron vert émincé
- 1 oignon émincé

PRÉPARATION

À servir comme bouchées apéritives ou comme repas accompagné d'une salade verte. La baguette bolognaise dépanne à merveille lorsque le temps manque.

- Couper la baguette en 2 dans le sens de la longueur.
- Retirer un peu de mie sur chaque moitié de façon à créer une cavité.
- Étendre l'huile avec un pinceau sur les 2 faces de la baguette.
- Griller au four, jusqu'à ce que le pain commence à dorer.
- Étendre la sauce à spaghetti sur les demi-baguettes. Garnir avec les fromages. Ajouter le poivron et l'oignon.
- Griller au four jusqu'à ce que le fromage devienne doré.

Baguette Wellington

4 portions

INGRÉDIENTS

- 1 baguette
- 8 champignons émincés
- 2 oignons verts émincés
- 1 c. à soupe de beurre
- 200 g (7 oz) de pâté de foie
- 250 g (9 oz) de bœuf haché extra-maigre
- 1 œuf
- 1 c. à soupe de moutarde de Dijon
- 1 c. à soupe de sauce Worcestershire
- Sel de mer et poivre du moulin
- 1 sachet de sauce demi-glace du commerce

PRÉPARATION

La baguette Wellington est une adaptation du classique bœuf Wellington « made in England ». Je vous propose ici une version très simple, beaucoup plus accessible et tout aussi surprenante.

- Couper la baguette sur la longueur aux trois quarts de la mie.
- Retirer une partie de la mie avec les doigts de façon à former une cavité.
- Faire sauter les champignons et les oignons verts dans le beurre 5 min et réserver.
- Tartiner la partie supérieure de la baguette avec le pâté de foie.
- Dans un bol, mélanger le bœuf haché, l'œuf, la moutarde, la sauce Worcestershire, le sel et le poivre.
- Étendre la préparation dans la cavité inférieure de la baguette.
- Répartir les champignons et les oignons verts sur le bœuf.
- Fermer la baguette et la rouler dans du papier d'aluminium (2 épaisseurs).
- Préchauffer le four à 185 °C (360 °F).
- Cuire environ 1 h.
- Couper en tranches et servir avec la sauce demi-glace préparée selon les instructions sur l'emballage.

SUGGESTION

- Servir avec la salade de carottes et de panais (voir recette p. 113).

Hot-dog parisien et salade de céleri rémoulade

INGRÉDIENTS

LE HOT-DOG

- 1 saucisse de Toulouse
- 1/3 de baguette bien fraîche
- 2 c. à soupe de moutarde forte

LE CÉLERI RÉMOULADE

- 1 gros céleri-rave
- 2 jaunes d'œufs
- 1 c. à soupe de moutarde forte
- Sel
- 80 ml (1/3 tasse) d'huile d'olive
- 160 ml (2/3 tasse) d'huile de tournesol
- 1 c. à soupe de jus de citron
- 1 c. à soupe de câpres hachées
- 2 c. à café (2 c. à thé) de sauce anglaise (Worcestershire)
- 2 c. à soupe de persil haché
- Poivre

PRÉPARATION

1 portion

LE HOT-DOG

- Faire bouillir la saucisse 3 min puis la griller dans une poêle.
- Couper la baguette en 3 parties égales et y creuser un trou à l'aide d'une pince à pizza.
- Insérer la saucisse chaude dans la baguette et servir avec la moutarde en accompagnement.

LE CÉLERI RÉMOULADE

- Éplucher et râper le céleri-rave (ou le couper en julienne).
- Cuire 3 min dans une casserole d'eau bouillante. Égoutter et réserver.
- Dans un bol, fouetter les jaunes d'œufs avec la moutarde et le sel.
- Incorporer graduellement les huiles en fouettant vivement.
- Lorsque la mayonnaise est ferme, ajouter le jus de citron, les câpres, la sauce anglaise, le persil et le poivre.
- Mélanger le céleri-rave à la sauce et réfrigérer au moins une heure avant de servir.

NOTE : Manque de temps? Ajouter le jus de citron, les câpres, la sauce anglaise, le persil, le sel et le poivre dans une mayonnaise du commerce.

INGRÉDIENTS

SALADE

- 6 carottes moyennes coupées en julienne
- 6 panais moyens coupés en julienne
- 1 poivron rouge coupé en julienne
- 2 c. à soupe de persil ciselé

VINAIGRETTE

- 60 ml (1/4 tasse) d'huile de canola
- 3 c. à soupe d'huile d'olive
- 3 c. à soupe de vinaigre de cidre de pomme
- 1 c. à soupe de moutarde forte
- 2 c. à café (2 c. à thé) de miel
- Sel de mer et poivre du moulin

PRÉPARATION

VARIANTE – SALADE DE CAROTTES ET DE PANAIS · 4 portions

Le panais sort de l'ombre. Méconnu par les consommateurs et sous-exploité par les agriculteurs, car il pousse trop lentement, il se fait discret sur les tablettes de nos supermarchés. Pourtant, son goût délicat de noisette et de céleri gagne à être découvert pour enrichir de saveur notre cuisine de tous les jours.

- Mélanger tous les ingrédients ensemble.
- Laisser mariner 1 h avant de servir.
- Garnir avec le persil.

Hot chicken Deluxe

4 portions

INGRÉDIENTS

- 3 c. à soupe de beurre
- 4 échalotes grises hachées
- 75 ml (1/3 tasse) de vin blanc
- 225 g (1/2 lb) de pleurotes ou d'autres champignons tranchés
- Sel et poivre
- 400 g (environ 4 tasses) de poulet rôti ou de dinde cuite en morceaux
- 500 ml (2 tasses) de sauce demi-glace du commerce
- 4 tranches de pain de campagne beurrées
- 100 ml (1/2 tasse) de canneberges fraîches ou congelées
- 100 ml (1/2 tasse) d'eau
- 3 c. à soupe de sucre

PRÉPARATION

- Faire sauter les échalotes dans le beurre. Ajouter le vin blanc et laisser réduire de moitié.
- Verser les champignons, assaisonner et laisser cuire à feu moyen 10 min.
- Ajouter le poulet ou la dinde.
- Préparer la sauce demi-glace selon les instructions sur l'emballage.
- Griller les tranches de pain au four.
- Dans une casserole, cuire les canneberges dans 100 ml (½ tasse) d'eau avec le sucre. S'il y a trop de jus, les égoutter.
- Ajouter les canneberges à la sauce.
- Déposer le pain grillé dans l'assiette. Couvrir avec la préparation pour le hot chicken et garnir de légumes de votre choix.

Pain aux olives en sandwich

Pour 1 pain entier

PRÉPARATION

Voici une présentation de sandwich inspiré du pan-bagnat du sud de la France.

- Dans une poêle, à feu moyen, faire revenir l'ail dans l'huile.
- Ajouter les tranches de tomates, saler, poivrer et cuire doucement environ 15 min, jusqu'à ce que l'eau des tomates soit complètement évaporée. Réserver.
- Dans un bol, mélanger les oignons verts, le vinaigre, la moutarde, l'huile, les herbes, le sel et le poivre. Ajouter le thon et mélanger.
- Couper le pain en 2 sur le sens de l'épaisseur. Former une cavité en retirant un peu de mie au centre.
- Couvrir avec la laitue puis avec le mélange de thon.
- Ajouter les haricots, les tomates et les tranches d'œufs.
- Fermer le sandwich et couper des tranches de 5 cm (2 po).

INGRÉDIENTS

- 3 gousses d'ail pressées
- 2 c. à soupe d'huile d'olive
- 2 tomates tranchées
- Sel de mer et poivre
- 2 oignons verts hachés
- 1 c. à soupe de vinaigre de vin
- 2 c. à café (2 c. à thé) de moutarde forte
- 3 c. à soupe d'huile d'olive
- 1 ½ c. à café (1 ½ c. à thé) d'herbes de Provence écrasées entre les doigts
- 2 boîtes de 170 g (6 oz) de thon bien égoutté
- 1 pain aux olives
- 4 à 5 feuilles de laitue
- 20 haricots verts cuits al dente
- 2 œufs durs tranchés

Rouleaux en crêpes de sarrasin au confit de canard

12 rouleaux

INGRÉDIENTS

LES CRÊPES

- 225 ml (1 tasse) de farine de sarrasin
- 2 œufs
- 225 ml (1 tasse) d'eau
- 1 c. à soupe d'huile de sésame
- 2 c. à soupe de sauce tamari
- 1 petite noix de gras de canard

LA GARNITURE

- 3 carottes coupées en julienne
- 5 feuilles de chou rouge coupées en julienne
- 3 branches de céleri coupées en julienne
- 1 contenant de pousses de maïs fraîches ou de pousses d'asperges
- 6 cuisses de canard confites désossées et coupées en fines lanières
- 150 ml (2/3 tasse) de sauce aux prunes du commerce
- 1 cm (1/2 po) de gingembre frais râpé très finement

PRÉPARATION

LES CRÊPES

- Battre tous les ingrédients ensemble sauf le gras de canard et laisser reposer 1 h à température ambiante.
- Chauffer une poêle antiadhésive et faire fondre le gras de canard.
- Verser environ 3 c. à soupe de mélange pour faire une crêpe de 12 cm (5 po). Répéter pour faire 12 crêpes.
- Cuire les crêpes environ 2 min de chaque côté. À mesure qu'elles cuisent, les empiler dans une assiette et les recouvrir d'un papier d'aluminium. Réserver.

LA GARNITURE

Il est important que tous les ingrédients de la garniture soient coupés de façon uniforme. Tailler les légumes le plus finement possible ou les râper.

- Placer les légumes crus au centre de la crêpe de façon à couvrir toute la longueur de celle-ci.
- Ajouter environ 40 g de canard (environ 1 ¼ oz) par rouleau.
- Mélanger le gingembre dans la sauce aux prunes.
- Répartir 2 c. à café (2 c. à thé) de sauce sur le canard.
- Rouler la crêpe avec la garniture et piquer avec un cure-dent pour tenir le rouleau en place.

SUGGESTION

- Placer tous les ingrédients sur un plateau au centre de la table pour que chacun roule son propre rouleau.

CROÛTONS ET CHAPELURE

Dans cette section, je vous propose des recettes faites à partir de nos pains de la veille. Nous avons toujours quelques restants de pain que nous pouvons évidemment griller pour faire des toasts. Nous pouvons aussi les cuisiner et découvrir des saveurs et des textures inusitées.

Tarte au pesto et à la ricotta

4 à 6 portions en entrée

INGRÉDIENTS

LA CROÛTE

- 310 ml (1 1/4 tasse) de chapelure de pain blanc ou entier (voir recette p. 120)
- 60 ml (1/4 tasse) de beurre mou
- 60 ml (1/4 tasse) de parmesan frais râpé
- 2 blancs d'œufs

LA GARNITURE

- 225 ml (1 tasse) de ricotta
- 4 c. à soupe de pesto
- 2 c. à soupe de ciboulette hachée
- 20 tomates cerises coupées en 2
- 2 c. à soupe d'huile d'olive
- 6 feuilles de basilic hachées
- 1 douzaine de copeaux de parmesan
- Fleur de sel ou sel de mer
- Poivre du moulin

PRÉPARATION

Envie de couleurs et de saveurs pendant la saison des tomates? Allez au marché et choisissez celles qui vous tentent. Cette recette accueille toutes les tomates pour le plaisir des sens.

LA CROÛTE

- Dans un bol, mélanger tous les ingrédients avec les mains ou au robot.
- Former une boule de pâte.
- Tapisser une assiette à tarte de 20 cm (8 po) de diamètre en aplatissant la pâte avec les doigts.
- Préchauffer le four à 180 °C (350 °F).
- Cuire le fond de tarte au centre du four de 20 à 30 min jusqu'à ce qu'il soit bien doré. Laisser bien refroidir avant de garnir.

LA GARNITURE

- Mélanger la ricotta et le pesto à l'aide d'une fourchette et garnir le fond de tarte.
- Parsemer de ciboulette et couvrir avec les tomates.
- Arrosez avec l'huile.
- Garnir avec le basilic, les copeaux de parmesan, la fleur de sel et le poivre.
- Afin que la croûte reste bien croquante, la garnir juste avant de servir.

NOTE : Il est préférable de préparer la croûte la veille et de la conserver dans un endroit sec, à température ambiante. Sinon, la laisser sécher au moins 2 h avant de la garnir.

Gaspacho andalou

4 portions

PRÉPARATION

INGRÉDIENTS

- 750 g (3 tasses) de tomates bien mûres (ou de tomates en boîte)
- 1 poivron vert haché grossièrement
- 1 poivron rouge haché grossièrement
- 1 concombre anglais lavé, épépiné et haché
- 3 oignons verts hachés
- 3 gousses d'ail
- 10 cm (4 po) de baguette de la veille (blanche ou de blé entier) coupée en tranches et grillée
- 80 ml (1/3 tasse) d'huile d'olive première pression à froid
- 2 c. à soupe de vinaigre de xérès (ou de vinaigre de vin rouge)
- 2 c. à café (2 c. à thé) de sel de mer
- 1 c. à café (1 c. à thé) de cumin moulu
- 1 c. à soupe de paprika
- 1/2 c. à café (1/2 c. à thé) de Tabasco (ou 1 piment fort haché)
- 2 c. à soupe de menthe fraîche hachée très finement
- 4 c. à soupe de crème sure, de crème aigre ou de yogourt nature

Le gaspacho, soupe d'origine espagnole, se mange traditionnellement froid, en principe l'été, car il apporte de la fraîcheur et les éléments nutritifs nécessaires, en fibres et en vitamines, pour un appétit en quête du juste équilibre. Il est tout aussi désigné pour les pique-niques, accompagné de fromages, de quelques terrines et d'une belle salade.

- Dans le bol du robot ou dans un mélangeur, mettre tous les ingrédients, sauf la menthe et la crème sure. Broyer de 3 à 5 min afin d'obtenir une purée la plus fine possible. Ajouter de l'eau si nécessaire (le gaspacho doit être assez épais).
- Rectifier l'assaisonnement au goût.
- Réfrigérer de 3 à 4 h avant de servir.
- Garnir de la crème sure et de la menthe.

LA CHAPELURE DE PAIN

Excellent mode de récupération des restes de pain, la chapelure est idéale pour les gratins, les panures, comme agent épaississant (dans les croquettes de viande hachée) ou pour faire des croûtes.

- Couper les restes de pain en petits morceaux et les laisser sécher sur une plaque, dans le four éteint, pendant quelques jours. Lorsque le pain est complètement sec, le broyer au robot ou avec un rouleau à pâte sur un linge à vaisselle sec. On peut l'assaisonner de fines herbes. Conserver dans un contenant hermétique pour que la chapelure se garde longtemps.

Croustade de tomates confites et de fromage de chèvre

4 portions

INGRÉDIENTS

- 16 tomates italiennes coupées en quartiers
- 80 ml (1/3 tasse) d'huile d'olive
- 3 c. à soupe de vinaigre balsamique
- 4 gousses d'ail broyées
- 1 c. à soupe d'herbes de Provence écrasées
- 1 c. à soupe de sel de mer
- 4 tranches d'une épaisseur de 2 cm
- (3/4 po) de pain de campagne de la veille, coupées en cubes
- 200 g (7 oz) de fromage de chèvre frais
- 4 c. à soupe de parmesan frais râpé
- Poivre du moulin

PRÉPARATION

- Préchauffer le four à 180 °C (350 °F).
- Dans un bol, mélanger les tomates avec l'huile, le vinaigre, l'ail, les herbes de Provence et le sel. Déposer le tout dans un moule en pyrex.
- Couvrir avec du papier d'aluminium et cuire 1 h.
- Dans un bol, mélanger le pain, les tomates confites, le fromage défait en morceaux, le parmesan et le poivre.
- Séparer le mélange également dans 4 ramequins.
- Cuire à découvert 30 min à 180 °C (350 °F) jusqu'à ce que le fromage et le pain soient dorés.

Tourte forestière sur fond de pain doré

4 portions

INGRÉDIENTS

- 6 œufs
- 80 ml (1/3 tasse) de crème ou de lait
- 1/2 c. à café (1/2 c. à thé) de sel
- 1/4 c. à café (1/4 c. à thé) de poivre noir
- 600 ml (3 tasses) de cubes de baguette ou
- d'autre pain à croûte (de la veille)
- 1 c. à soupe d'huile d'olive
- 1 oignon coupé en petits cubes
- 150 g (1 tasse) de bacon coupé en cubes
- 150 g (1 tasse) de champignons émincés
- 150 g (1 1/2 tasse) d'épinards hachés
- grossièrement
- 150 g (1 tasse) de gruyère ou d'emmental
- 8 tranches fines de tomates

PRÉPARATION

- Dans un bol, mélanger les œufs, la crème, le sel et le poivre à l'aide d'une fourchette.
- Laisser imbiber les cubes de pain dans le mélange 20 min.
- Faire sauter dans l'huile les cubes d'oignon et les lardons jusqu'à ce que le bacon soit cuit. Ajouter les champignons à mi-cuisson.
- Ajouter les épinards à la fin pour les faire tomber. Saler et poivrer.
- Laisser égoutter la préparation dans une passoire.
- Tapisser un moule à gâteau de 20 cm (8 po) avec du papier parchemin (utiliser un moule à charnière pour plus de facilité à démouler ou un moule à quiche de 4 cm (1 ½ po) de hauteur).
- Préchauffer le four à 190 °C (375 °F).
- Déposer les cubes de pain dans le fond du moule.
- Réserver le reste de mélange d'œufs.
- Dans un bol, mélanger la préparation de légumes et de lardons avec le fromage et le reste du mélange d'œufs.
- Verser le tout sur les cubes de pain.
- Garnir avec les tranches de tomates légèrement huilées.
- Cuire environ 40 min jusqu'à ce que les œufs soient figés.
- Laisser tiédir 10 min avant de couper.

Beignets de pain aux poivrons et aux oignons, concassé de tomates à la coriandre

Environ 12 beignets

PRÉPARATION

LES BEIGNETS

- Faire tremper le pain dans le lait 15 min.
- Déposer tous les ingrédients, y compris les cubes de pain et le lait, dans le bol du robot. Broyer par impulsion jusqu'à l'obtention d'une pâte assez ferme pour qu'elle tienne en galette (si le mélange est trop humide, ajouter de la chapelure ou de la farine ; s'il est trop sec, ajouter du lait).
- Saler et poivrer.
- Dans une friteuse ou une casserole, amener l'huile à 185 °C (365 °F).
- Former des petites galettes avec la pâte de pain et les frire en les retournant jusqu'à ce qu'elles soient bien dorées et croquantes.
- Égoutter les beignets sur du papier absorbant.
- Les conserver au four avant de les servir accompagnés d'une salade verte.

LE CONCASSÉ

- À la poêle, faire mijoter doucement les tomates avec l'huile et laisser réduire de moitié.
- Saler, poivrer et ajouter les herbes.

NOTE : Les beignets se préparent d'avance et peuvent se congeler une fois frits. Réchauffer au four.

INGRÉDIENTS

LES BEIGNETS

- 400 g (4 tasses) de cubes de pain vieux de 2 jours
- 375 ml (1 ½ tasse) de lait
- 1 oignon rouge grossièrement coupé
- 1 poivron rouge grossièrement coupé
- 4 œufs
- Sel de mer et poivre du moulin
- 500 ml (2 tasses) d'huile d'olive ou d'arachide pour la friture

LE CONCASSÉ

- 12 tomates bien mûres coupées en dés
- 2 c. à soupe d'huile d'olive
- Sel de mer et poivre du moulin
- 6 branches de coriandre fraîche hachées
- 6 branches de persil plat hachées

VARIANTES

- Remplacer le concassé par la recette de sauce à pizza (voir p. 46).
- Pour un repas complet, ajouter à la préparation du beignet de petits cubes de jambon, du poisson, des crevettes ou du fromage.
- Donner du piquant en ajoutant 1 ou 2 piments forts.

Kefta d'agneau à la sauce au yogourt et à la menthe

4 portions

INGRÉDIENTS

LA SAUCE
- 1 concombre
- 1 c. à soupe de gros sel de mer
- 250 g (1 tasse) de yogourt de chèvre ou de vache
- 20 feuilles de menthe hachées finement
- 6 branches de coriandre hachées finement
- 2 c. à soupe d'huile d'olive au citron ou ordinaire
- Poivre du moulin

LES KEFTA
- 500 g (environ 1 lb) d'agneau haché
- 3 gousses d'ail hachées
- 1 petit oignon haché finement
- 2 c. à café d'épices à couscous
- 10 gouttes de Tabasco (au goût)
- 2 œufs
- ½ c. à café (½ c. à thé) de sel de mer
- 2 c. à soupe d'huile d'olive
- 12 feuilles de menthe fraîche hachées très finement
- 60 ml (¼ tasse) de chapelure de pain

POUR ROULER LES KEFTA
- 60 ml (¼ tasse) de graines de sésame
- 60 ml (¼ tasse) de chapelure de pain

PRÉPARATION

D'origine marocaine, la kefta est préparée à partir de viande d'agneau ou de mouton hachée, mélangée avec de la mie de pain et des épices. Elle est ensuite transformée en boulettes, puis mise en brochettes et cuite sur la braise.

LA SAUCE (À FAIRE LA VEILLE)

- Laver le concombre et en retirer les pépins. Le hacher finement et mélanger avec le sel.
- Laisser égoutter dans un linge propre environ 1 h.
- Dans un bol, mélanger tous les ingrédients à l'aide d'un fouet, puis ajouter le concombre.
- Réserver au réfrigérateur.

LES KEFTA

- Dans un bol, mélanger tous les ingrédients à l'aide des mains ou d'une cuillère.
- Diviser le mélange en 8 boules.
- Rouler chaque boule dans le mélange de chapelure et de sésame pour former une saucisse.
- Enfiler les kefta sur des brochettes.
- Cuire sous le gril du four 5 min de chaque côté (au Maroc, les brochettes sont grillées sur des braises qui se consument).
- Servir avec la sauce au yogourt, au concombre et à la menthe.

Salade de quinoa

4 à 6 portions (repas complet)

Céréale originaire d'Amérique du Sud, le quinoa était vénéré par les Incas. À la base de leur alimentation, « le grain mère », comme ils l'appelaient, est fortement recommandé par les spécialistes de la nutrition et gagne à être connu.

PRÉPARATION

LA SALADE

- Bien rincer le quinoa sous l'eau du robinet en brassant.
- Égoutter complètement la céréale.
- Chauffer une casserole à feu moyen avec 2 c. à soupe d'huile et ajouter le quinoa.
- Remuer à l'aide d'une cuillère de bois jusqu'à ce que les grains éclatent.
- Ajouter l'eau et le sel, couvrir et amener à ébullition.
- Réduire la température à feu doux et laisser cuire environ 15 min (le quinoa se cuit comme le riz).
- Tourner les cubes de pain dans le reste d'huile d'olive et les faire griller au four jusqu'à ce qu'ils soient bien secs. Réserver pour servir avec la salade.
- Mélanger tous les légumes dans le quinoa encore tiède.
- Faire griller les graines de tournesol dans une poêle à feu moyen, en remuant continuellement jusqu'à ce que les graines changent de couleur et laissent sortir leur huile.
- Ajouter les graines de tournesol chaudes au reste de la salade et mélanger.

LA VINAIGRETTE

- Fouetter tous les ingrédients de la vinaigrette ensemble et mélanger avec la salade de quinoa.
- Ajouter les croûtons au dernier moment avant de servir.

INGRÉDIENTS

LA SALADE

- 150 g (3/4 tasse) de quinoa cru (en vente dans les magasins d'aliments naturels et les supermarchés)
- 2 c. à soupe d'huile d'olive + 3 c. à soupe
- 350 ml (1 1/2 tasse) d'eau
- 1 c. à café (1 c. à thé) de sel de mer
- 180 g (2 tasses) de cubes de pain de blé entier
- 100 g (1 tasse) de poivron rouge coupé en petits cubes
- 100 g (1 tasse) de pois verts congelés
- 100 g (1 tasse) de maïs en grains congelé
- 3 oignons verts hachés
- 250 ml (1 tasse) de graines de tournesol

LA VINAIGRETTE

- 125 ml (1/2 tasse) d'huile de tournesol
- 60 ml (1/4 tasse) de vinaigre de cidre
- 3 c. à soupe de tamari
- 10 gouttes de Tabasco (au goût)

Craquelins au gorgonzola et salade composée de prosciutto, de poires et de panais

4 portions

PRÉPARATION

LES CRAQUELINS

- Mettre tous les ingrédients dans le bol du robot culinaire. Mélanger par pulsions jusqu'à l'obtention d'une boule de pâte.
- Aplatir la pâte à l'aide d'un rouleau à pâtisserie entre 2 feuilles de papier parchemin. Elle doit avoir environ 3 mm (⅛ po) d'épaisseur.
- Déposer la pâte sur une plaque à pâtisserie.
- Préchauffer le four à 170 °C (325 °F).
- Cuire de 15 à 20 min jusqu'à ce que la pâte soit bien dorée.
- Refroidir sur une grille pour laisser l'humidité sortir.
- Couper en pointes pour garnir la salade.

LA SALADE

- Dans une poêle, faire chauffer l'huile d'arachide et frire les allumettes de panais.
- Déposer sur un papier absorbant. Saler légèrement.
- Placer les tranches de jambon sur du papier parchemin et cuire au four à 220 °C (425 °F) pendant 10 min.
- Déposer sur un papier absorbant. Laisser tiédir.
- Répartir la salade dans 4 bols.
- Placer ½ poire dans chaque bol.
- Placer le panais, le prosciutto et les craquelins sur la salade.
- Servir la vinaigrette à côté ou la répartir sur chaque salade.

LA VINAIGRETTE

- Fouetter tous les ingrédients ensemble.

INGRÉDIENTS

LES CRAQUELINS

- 250 ml (1 tasse) de chapelure de pain (voir recette p. 120)
- 60 ml (¼ tasse) de noix de Grenoble hachées
- 1 œuf
- 175 g (6 oz) de fromage gorgonzola ou semblable
- 1 c. à soupe d'huile d'olive

LA SALADE COMPOSÉE

- 60 ml (¼ tasse) d'huile d'arachide
- 4 panais moyens coupés en fines allumettes
- Sel de mer
- 20 tranches fines de jambon de Parme
- 300 g (10 oz) de salade mesclun
- 2 poires coupées en fines lamelles et citronnées

LA VINAIGRETTE AU YOGOURT

- 125 ml (½ tasse) de yogourt 2 %
- 4 c. à soupe d'huile de noix
- 2 c. à soupe de vinaigre de fleur de panais sauvage (ou de vinaigre de cidre)
- Sel de mer et poivre du moulin

PETITS-DÉJEUNERS ET DESSERTS

Voici ma section de gâteries où le pain prendra un air de fête, du petit-déjeuner au dessert.

Tartines au fromage cottage, à la marmelade et aux amandes

4 portions

INGRÉDIENTS

- 4 tranches de pain à la farine de kamut ou de pain intégral
- 4 c. à soupe d'huile d'olive à l'orange ou nature
- 150 ml (2/3 tasse) de fromage cottage (fromage blanc)
- 4 c. à soupe de marmelade d'agrumes (celle de la recette de la p. 79 ou du commerce)
- 4 c. à soupe d'amandes effilées et grillées

PRÉPARATION

- Griller le pain et le badigeonner d'huile.
- Étaler le fromage, la marmelade et les amandes grillées.

INGRÉDIENTS

- 1 baguette de la veille
- 6 œufs
- 100 ml (1/2 tasse) de crème fraîche liquide (crème 35 %)
- 150 ml (2/3 tasse) de lait
- 5 c. à soupe de sirop d'érable
- 2 c. à café (2 c. à thé) de vanille
- 4 c. à soupe de beurre mou

PRÉPARATION

Pain perdu Première Moisson

4 portions

Nous avons effectué une multitude d'essais avec tous nos pains, agrémentés de fruits frais ou séchés, d'épices et d'autres ingrédients pour en arriver à une conclusion unanime : qu'une recette de base simple, avec de la baguette, reste le meilleur des pains perdus.

- Couper la baguette en cubes de 2 cm (3/4 po).
- Étendre sur une plaque à pâtisserie et laisser sécher au four 15 min à 160 °C (325 °F).
- Battre tous les ingrédients sauf le beurre.
- Ajouter les cubes de pain et laisser imbiber 1 h.
- Préchauffer le four à 180 °C (350 °F).
- Beurrer généreusement un moule de 20 cm x 30 cm (8 po x 12 po) puis y déposer la préparation.
- Bien tasser le pain dans le moule.
- Cuire de 25 à 35 min jusqu'à ce que le pain soit bien doré.
- Servir nature, avec du sirop d'érable, un coulis de fruits, du caramel au jus de pomme (voir recette p. 83) ou de la compote de pommes et de poires au beurre à la vanille (voir recette p. 82).

Crostini aux trois noix et aux fruits séchés

4 portions

PRÉPARATION

« Crostini » est un terme italien qui désigne une tartine grillée. Je vous propose ici un crostini en forme de petites bouchées, sur du pain grillé, qui pourra accompagner parfaitement un plateau de fromages ou être servi au petit-déjeuner.

- Laver les fruits séchés à l'eau chaude 5 min.
- Couper les abricots en dés.
- Dans une casserole, mélanger tous les ingrédients.
- Porter à ébullition et laisser mijoter à feu doux jusqu'à réduction complète du liquide (environ 25 min). La préparation doit être molle et collante pour retenir les ingrédients.
- Beurrer et griller de fines tranches de baguette puis garnir comme un canapé.

INGRÉDIENTS

- 90 g (1/2 tasse) de raisins secs
- 90 g (1/2 tasse) d'abricots séchés
- 90 g (1/2 tasse) d'amandes concassées
- 90 g (1/2 tasse) de pistaches écalées
- 60 g (1/3 tasse) de noix de pin
- 180 ml (3/4 tasse) de jus d'orange pur
- Le jus de 2 citrons verts
- 90 ml (1/2 tasse) de miel de fleurs sauvages ou de sarrasin
- 1/2 c. à café (1/2 c. à thé) de cardamome moulue
- 1 baguette tranchée

Croques au massepain, aux cerises et au zeste d'orange

4 portions

PRÉPARATION

- Ramollir le massepain au micro-ondes ou près du four.
- Ajouter le reste des ingrédients (sauf le pain, le beurre et le sucre) et travailler avec une fourchette pour former une pâte.
- Étendre la préparation sur 4 tranches de pain et couvrir avec les autres tranches.
- Beurrer chaque face du croque et saupoudrer de sucre.
- Griller les deux côtés dans une poêle antiadhésive à feu moyen.

INGRÉDIENTS

- 100 g (3 1/2 oz) de massepain
- Le zeste de 1 orange haché très finement
- 32 cerises noires (griottes ou Bing) en pot, non sucrées, égouttées et asséchées
- 1 1/2 c. à soupe de liqueur à l'orange (Grand Marnier)
- 90 ml (1/3 tasse) d'amandes effilées et grillées
- 8 tranches minces de pain de mie
- 6 c. à soupe de beurre mou
- 3 c. à soupe de sucre de canne

Crostini aux trois noix et aux fruits séchés

Tartines de bananes et d'orange au miel, flambées au rhum

4 portions

INGRÉDIENTS

- 2 bananes (pas trop mûres) tranchées en rondelles d'environ 6 mm (¼ pouce)
- 1 orange sans pépins épluchée et coupée en demi-tranches
- 8 cerneaux de noix de Grenoble hachés grossièrement
- 4 c. à soupe de miel
- 4 tranches de pain, aux noix de préférence, minces
- Beurre
- 4 c. à soupe de rhum

PRÉPARATION

- Mélanger doucement tous les ingrédients sauf le rhum, le pain et le beurre.
- Déposer le tout dans une assiette résistante au four.
- Préchauffer le gril du four.
- Beurrer les tranches de pain et les passer sous le gril.
- Placer l'assiette avec la préparation 5 min sous le gril du four.
- À la sortie du four, arroser les fruits avec le rhum et faire flamber.
- Mettre la garniture sur le pain grillé.

SUGGESTIONS

- Couper le pain en petites bouchées après l'avoir grillé.
- Garnir et servir comme canapés sucrés dans un brunch.

Sandwich au fromage brie et aux pommes caramélisées

3 portions

INGRÉDIENTS

- 5 c. à soupe de beurre
- 5 c. à soupe de sucre de canne
- 3 pommes tranchées finement et citronnées, de préférence des pommes Gala
- 1 baguette
- 300 g (11 oz) de brie

PRÉPARATION

- Dans une poêle antiadhésive, fondre le beurre, puis ajouter le sucre et les pommes.
- Cuire jusqu'à coloration (caramel).
- Couper la baguette en 2 sur la longueur.
- Couper le fromage en tranches et le répartir dans la baguette.
- Ajouter les pommes chaudes sur le fromage.
- Refermer la baguette et la couper en 3 portions.

Brochettes de pain doré et de fruits frais à la sauce au thé vert

6 portions

INGRÉDIENTS

LES BROCHETTES
- 6 œufs
- 80 ml (1/3 tasse) de crème liquide (crème 35 %)
- 120 ml (1/2 tasse) de lait
- 4 c. à soupe de sucre de canne
- 1 c. à café (1 c. à thé) de cannelle
- 1 pain aux noix coupé en cubes de 2,5 cm (1 po)
- 2 c. à soupe de beurre
- Le jus de 1/2 citron
- 6 quartiers de pomme
- 6 tronçons de banane
- 6 quartiers de prune
- 6 quartiers d'orange

LA SAUCE
- 750 ml (3 tasses) d'eau bouillante
- 4 c. à café (4 c. à thé) de thé vert ou 4 sachets
- 175 g (3/4 tasse) de sucre de canne
- 1/2 c. à café (1/2 c. à thé) de poudre d'agar-agar (voir p. 77)
- 4 c. à soupe de jus d'orange concentré congelé

PRÉPARATION

LES BROCHETTES
- Battre ensemble les œufs, la crème, le lait, le sucre et la cannelle.
- Mettre les cubes de pain dans la préparation et laisser imbiber 1 h.
- Dans une poêle antiadhésive, cuire les cubes de pain avec le beurre. Retourner les cubes afin qu'ils puissent cuire sur toutes les faces.
- Citronner légèrement les morceaux de pommes et de bananes pour qu'ils ne noircissent pas.
- Enfiler par alternance les cubes de pain et les fruits sur la brochette.

NOTE : Réchauffer les brochettes de pain sur le barbecue ou au four, sous le gril, avant de les servir.

LA SAUCE
- Infuser le thé 15 min.
- Passer au tamis pour retirer les feuilles.
- Dans une casserole, cuire le sucre pour former un caramel léger.
- Ajouter le thé et laisser bouillir 5 min pour que le caramel soit bien dissous.
- Diluer l'agar-agar dans le jus d'orange décongelé.
- Incorporer au mélange de thé et laisser frémir 2 min.
- Laisser refroidir la sauce et en napper les brochettes.

Charlotte à la mousse au chocolat, aux framboises et au pain perdu

6 portions

INGRÉDIENTS

LE PAIN PERDU

- 1 ½ ficelle blanche (ou 1 baguette)
- 4 gros œufs
- 100 ml (½ tasse) de crème fraîche liquide (crème 35 %)
- 75 ml (⅓ tasse) de lait
- 50 g (¼ tasse) + 70 g (⅓ tasse) de sucre roux de canne
- 2 c. à café (2 c. à thé) de vanille

LA MOUSSE AU CHOCOLAT

- 150 ml (⅔ tasse) + 300 ml (1 ⅓ tasse) de crème à fouetter
- 60 ml (¼ tasse) de lait
- 60 g (¼ tasse) de beurre doux
- 200 g (1 ½ tasse) de chocolat noir (mi-amer) râpé ou coupé en petits morceaux
- 2 c. à soupe d'eau froide

LA DÉCORATION

- Environ 250 ml (1 tasse) de framboises fraîches ou congelées
- Environ 125 g (¾ tasse) de chocolat noir mi-amer pour faire des copeaux

PRÉPARATION

Je ne vous cacherai pas que cette charlotte, pièce de résistance de cette partie, est sans doute la recette la plus complexe à exécuter. Abordez ce projet comme un défi à réaliser et soyez-en fier, quel qu'en soit le résultat visuel. Le plaisir du palais sera toujours au rendez-vous.

LE PAIN PERDU

- Couper la ficelle ou la baguette en biseau de façon à faire des tranches de 1 cm (¼ po) d'épaisseur sur 12 cm (5 po) de longueur.
- Battre ensemble les œufs, la crème, le lait et 50 g (¼ tasse) de sucre.
- Laisser imbiber les tranches de pain dans le mélange environ 15 min.
- Déposer sur une plaque à cuisson avec du papier parchemin.
- S'il reste du mélange d'œufs, le verser sur les tranches avec une cuillère.
- Saupoudrer le pain avec le reste du sucre.
- Préchauffer le four à 180 °C (350 °F)
- Cuire environ 15 min jusqu'à ce que le pain soit bien doré et croquant.
- Laisser refroidir.

LA MOUSSE

- Porter à ébullition 150 ml (⅔ tasse) de crème, le lait et le beurre.
- Verser sur le chocolat et brasser avec un fouet jusqu'à ce que le chocolat soit complètement fondu.
- Incorporer l'eau en brassant.
- Laisser tiédir la préparation. (Attention, il ne faut pas laisser figer le mélange, il doit rester mou, mais pas chaud!)
- Fouetter le reste de crème.
- Incorporer doucement la crème fouettée au mélange de chocolat à l'aide d'une spatule de caoutchouc.

(Suite à la page 138)

Charlotte à la mousse au chocolat, aux framboises et au pain perdu (suite)

MONTAGE

Monter la charlotte à la dernière minute pour que le pain perdu ne perde pas trop son craquant.

- Tapisser un moule à charnières (ou un moule ordinaire ou une casserole) de 18 cm (7 po) de diamètre sur 7 cm (2 ¾ po) avec du papier ciré (découper un rond pour le fond et une bande de 15 cm (6 po) de haut pour le tour).
- Couper droit un des 2 bouts de toutes les tranches de pain doré de façon qu'elles aient la même longueur et les placer sur les côtés du moule, le côté droit au fond.
- Déposer dans le fond du moule les morceaux de pain doré restants préalablement coupés en petits cubes de 2 cm (¾ po).
- Verser la moitié de la mousse au chocolat dans le moule.
- Placer la moitié des framboises sur la mousse.
- Verser l'autre moitié de mousse et taper le moule sur la table pour bien la répartir.
- Mettre au réfrigérateur 2 h, jusqu'à ce que la mousse soit bien figée.
- Démouler la charlotte et garnir avec le reste des framboises et les copeaux de chocolat.
- Réfrigérer jusqu'au moment de servir.

*CONSEILS TECHNIQUES

Pour faire des copeaux de chocolat à la maison, voici ma technique :

- Faire fondre le chocolat dans un bain-marie.
- Ajouter 1 c. à soupe d'huile végétale et bien mélanger.
- Étendre le chocolat fondu sur le dos d'une plaque à pâtisserie froide à l'aide d'une spatule. Répartir le chocolat sur 1 mm (1⁄16 po) d'épaisseur.
- Laisser figer le chocolat environ 15 min à température ambiante.
- À l'aide d'un couteau ou d'une cuillère, racler le chocolat sur la plaque.
- Placer les copeaux sur une assiette et les laisser refroidir au réfrigérateur.
- Il est aussi possible de racler la barre de chocolat avec un couteau pour éplucher les pommes de terre. Les copeaux seront cependant petits et moins jolis.

CHARLOTTE EXPRESSE EN PORTIONS INDIVIDUELLES

8 à 10 portions

Dans une tasse, un verre, un ramequin ou un quelconque autre contenant, déposer des fruits, verser la mousse et présenter avec le pain perdu. Ce dernier peut aussi servir de cuillère. Il ne doit pas avoir été préalablement réfrigéré. Il aura ainsi gardé son craquant.

Bibliographie

ASSIRE, Jérôme, *Le Livre du pain*, Flammarion, 1996.

DESGRANGES, Yves, *Passion pain*, Jean-Claude Gawsewitch Éditeur, 2004.

HOLLYWOOD, Paul, *Pains : 100 recettes croustillantes*, Octopus, 2004.

KIROUAC, Malec, *Faire son pain soi-même*, Arion, 2005.

MOREL, Laurent, *Pains et Viennoiseries*, Dormonval, 2004.

SCHINDLER, Catherine, *Pain : Le guide*, Hermé, 1997.

Remerciements

Je tiens à remercier Joachim Schafer pour ses conseils éclairés; Anne et Nicolas, mes enfants, qui ont toujours pris plaisir à mettre la main à la pâte en m'aidant à tester, à goûter et à commenter judicieusement les recettes sur le coin du comptoir de la cuisine; Aline et Henri Marsand, ma famille spirituelle française qui m'a insufflé la passion du pain. Je remercie spécialement ma mère et mes deux frères, Bernard et Stéphane, de m'avoir supportée tout au long de cette aventure.

JOSÉE FISET

Merci à mes proches, Huguette Blais, Marlie Lefebvre, Rose et Camille Blais de m'avoir apporté leur soutien.

ÉRIC BLAIS

Nous tenons à remercier pour leur aide professionnelle les personnes suivantes:

- Dominique Gauvrit qui, par ses précieuses recommandations, nous a aidés à maîtriser l'art de la panification.
- Massimiliano Zammarchi pour les piadinas; Carl Soueidy pour les pitas; Madeleine Lamarre, Gabrielle Lemieux et Jean-Charles Rouleau pour leurs conseils en alimentation santé.
- Andy Brasseur, Sylvie Houle et Dany Rajotte Carr pour leurs commentaires pertinents à propos des recettes.
- Pierre Ranjard, assistant, pour la coordination du projet.
- Pierre Bourdon, Erwan Leseul et toute l'équipe des Éditions de l'Homme pour leur patience et leur disponibilité.
- Jacques Faucher, styliste culinaire; Luce Meunier, styliste accessoiriste; et Tango Photographie pour leur talent.
- Et un grand merci à toutes les personnes de la boulangerie Première Moisson, qui nous ont aidés à mener à bien ce projet.

Index

Achevé d'imprimer au Canada
sur les presses de Quebecor World